Мишель Плесси

Ветер в ивах

по повести

Кеннета Грэма

2-е издание

МОСКВА
«МАНН, ИВАНОВ И ФЕРБЕР»
2022

1. На берегу реки

Как и всякий раз в начале весны, Крот ни разу не присел за целое утро, потому что приводил в порядок свой домик после долгой зимы. Наконец пыль совершенно запорошила ему глаза и застряла в горле...
АААА...
АА...
ПЧХИИИ!!
Тьфу ты, пропасть! Довольно!
Провались она совсем, эта уборка!
ОЙ!
Он кинулся вон из дому. Что-то там, наверху, звало его и требовало к себе...
1.

Солнце охватило жаром его шерстку, легкий ветерок
ласково обдул разгоряченный лоб, а после темноты
и тишины подвалов, где он провел так много времени,
восторженные птичьи трели просто его оглушили...
Крот подпрыгнул сразу на всех четырех лапах в восхищении от того, как хороша жизнь и как хороша весна, если, конечно, пренебречь весенней уборкой.
Еще он подумал, что полностью счастлив, и отправился бродить без цели,
пока не оказался на берегу переполненной вешними водами реки...
Утомившись, он присел,
слушая, как река рассказы-
вает свои прекрасные
сказки, которые она несла
из глубины земли к морю...
2

Привет! Хороший денек, не так ли?
?!

Я Рэт. А ты кто?

О... очень приятно... Я... э-э-э... Крот.

Да-да-да... Я говорю, денек-то и вправду чудо, такой нельзя упускать...

Может, махнем вниз по реке и устроим пикник?
Значит, договорились! Минуточку, я соберу корзину...

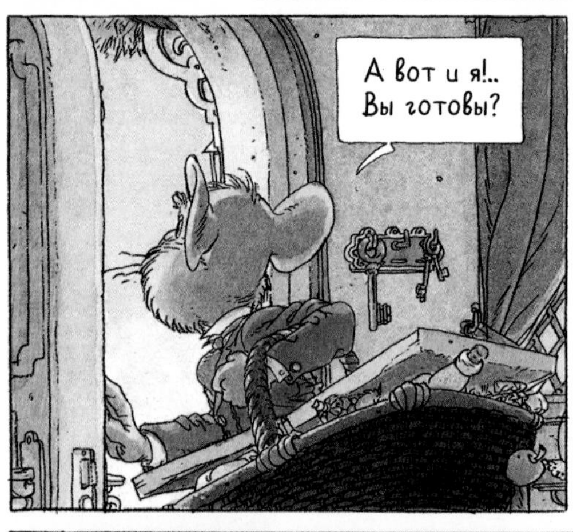
А вот и я!.. Вы готовы?

Думаю, я немного запутался в этих веревках...
Боже правый!.. Но как вы умудрились?

Ничего страшного, мой бедный друг, дело поправимое...

И правда: не прошло и часа, как они уже были в пути...
Итак!.. В корзинке у меня жареный цыпленок, отварной язык, бекон, ростбиф, корнишоны, салат, французские булочки, заливное, содовая... Как вы думаете, этого достаточно? А то мои друзья говорят, что я делаю слишком ничтожные запасы.
Ну-ка... У вас из-под воротника торчит кусочек веревки...

Крот не ответил. Его внимание поглотила новая жизнь, в которую он вступал, все эти запахи, звуки, солнечный свет... Он опустил лапу в воду и видел бесконечные сны наяву. Наконец он очнулся...
А вот там что?
Там?.. Это Дремучий Лес, я туда редко заглядываю.
А те, кто там живут, они... Они хорошие?
Ну как вам сказать... Белки, они хорошие. И кролики...
Хотя... Среди кроликов всякие бывают...
Ну и, конечно, там живет Барсук. В самой, можно сказать, сердцевине... Милый старый Барсук!
Оп!
Есть и другие: ласки там, горностаи, куницы. Вообще-то они ничего, проводим иногда время вместе...
Но на них иной раз находит, вот в чем дело... Кстати, я вижу отличное место для пикника!

О-о-о-о... Да, это превосходное место!

Крот попросил разрешения распаковать корзинку и с воодушевлением выудил из нее скатерть. Он расстелил ее на траве, потом один за другим принялся доставать таинственные свертки, каждый раз замирая.

И вот...
Ну, старина, набрасывайтесь!

И Крот тут же с удовольствием подчинился этой команде! Уборку он начал, как водится, очень рано...

?
...и с тех пор у него во рту маковой росинки не было, а с утра произошло столько всяких событий! Казалось, будто миновал не один, а сразу несколько дней.

А что это за пузыри на воде? Они движутся прямо к нам...

Пузыри?.. Ага!
БУЛЬ!

Вот жадюги!! Вообще-то, Рэтти, мог бы и меня пригласить!
Ой!

Да мы как-то неожиданно собрались... Кстати, знакомься: это мой друг, мистер Крот.
Очень приятно, я – Выдра.
...

Какая везде суматоха! Кажется, весь белый свет сегодня на реке. Я приплыл в эту тихую заводь, чтобы хоть на минутку перевести дух и уединиться, и вот, здравствуйте, наткнулся на вас!..

Э-э... Извините, друзья, я не совсем то хотел сказать...

ФРРШШ
Ай!
Да что там еще такое?

Барсук!.. Иди же скорей сюда, старый дружище!

Хрмпф... Компания собралась!

Вот он всегда так.
Ну просто не выносит общества.
Буль.

И кто тебе нынче встретился на реке?
Наш достославный мистер Тоуд. В лодке.

Жаба в лодке?

Ха Ха Ха Ха
Ха Ха Ха
Ха Ха Ха Ха Ха

Мистер Тоуд? А кто это?
Ты смотри! Легок на помине...
Угадайте, кого к нам несет?..
Жабу?.. О да! Боюсь, он опрокинется...
...ровно через минуту!
В этом весь Тоуд!
Когда-то Жаба ходил под парусом...
Потом яхта ему надоела, и загорелось – вынь да положь – плоскодонку с шестом.
А в прошлом году ему взбрело в голову, что он просто умрет без дома-поплавка. Завел себе барку с домом, и все мы без конца гостили на этой барке, и все мы притворялись, будто это нам страшно нравится...
кап!
Ему уже виделось, как он весь остаток жизни проведет в доме на воде, только ведь не успеет мистер Тоуд чем-либо увлечься, как уже остывает и берется за что-нибудь следующее.
Он вообще-то хороший... Но неустойчивый.
ПЛЮХ!
Это точно... Особенно на воде!
!

Простите, я вынужден вас покинуть. Пойду помогу!

Все равно ведь только я в купальном костюме...

Думаю, и нам пора собираться. Как вам кажется, кому из нас лучше упаковывать корзинку?

Позвольте, позвольте мне!

И Рэт, конечно, позволил. Увы, укладывать корзинку оказалось вовсе не так приятно, как распаковывать... Впрочем, сегодня Крот был склонен радоваться всему.

Но когда он уже все сложил, то увидел солонку, которая уставилась на него из травы. А потом вдруг заметил тюбик горчицы, который лежал на самом виду... Как же всё это умещалось в такой небольшой корзинке?

Наконец все было готово!

Вы уверены, что ничего не забыли?
Нет-нет, даже не сомневайтесь.

Предвечернее солнце стало понемногу садиться. Рэт не спеша греб к дому. Он находился в мечтательном расположении духа, то и дело бормоча обрывки стихов.
«И вновь весна наступает, и вновь нас переполняет звуками, что аппетит пробуждают! „Ква-ква“, – говорит лягушка, „Чирик“, – говорит воробей. Эх, мне бы кусок колбаски и бокальчик вина поскорей!»
Р-ро!
Рэт, пожалуйста... Позвольте мне погрести!
Погодите, еще не пора. Сперва я должен дать вам несколько уроков. Это вовсе не так просто, как кажется.... Вспомните Жабу!
Я очень внимательно наблюдал...
Нет! Вы с ума сошли!
Прекратите сейчас же! Вы нас перевернете!
Простите, я... Я вел себя глупо! Я оказался совершеннейшим дуралеем.
Кап
Забудьте! Водяной Крысе понырять не грех, я с утра до ночи в воде...
Побегайте немного, чтобы согреться, а я пока поищу корзинку.
ПЛЮХ
ПЛИХ

Есть! А знаете? Вам было бы не худо зайти ко мне, как следует обсохнуть за бокалом глинтвейна.
Пфф
Пфф
Пфф
И вообще, вы можете пожить у меня какое-то время...

Крот был так тронут, что даже пустил слезу.
Дядюшка Рэт деликатно отвернулся...
Мы – нет.

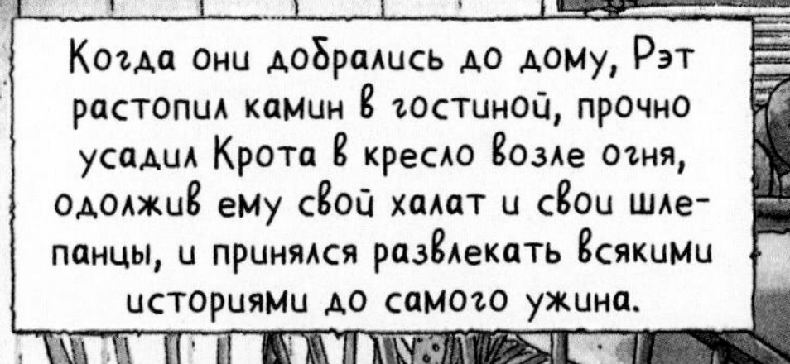
Когда они добрались до дому, Рэт растопил камин в гостиной, прочно усадил Крота в кресло возле огня, одолжив ему свой халат и свои шлепанцы, и принялся развлекать всякими историями до самого ужина.

Он рассказывал о запрудах и неожиданных наводнениях, о страшной зубастой щуке, о пароходах, которые швыряются опасными твердыми бутылками, о приключениях у плотины и о ночной рыбалке.
Этот день был только первым в ряду таких же дней, и каждый следующий оказывался интереснее предыдущего.

2. На широкой дороге

В тихой, сонной заводи –
Гляньте, просто смех! –
Наши утки плавают
Хвостиками вверх.
Белых хвостиков – не счесть,
Желтых лапок – вдвое.
Эта песня вашего сочинения? Похоже, уткам она не очень...
Что верно, то верно.
Они говорят: «И почему это нельзя оставить других в покое, а надо вместо того рассиживать на берегах, и отпускать всякие там замечания, и сочинять разные стишки, и все такое прочее? Это довольно-таки глупо».
Бездельники! Шалопаи!
А не заглянуть ли нам к Жабе? Я столько всего слышал про Тоуд-Холл.
Отличная мысль! Старый добрый Тоуд... Выводите лодку, мы туда быстренько доплюхаем.

Расскажите мне о Тоуде...
Это прекрасный друг. Ну, может, он не так уж умен, скорее, немножечко хвастун и зазнайка... Но все равно у него много превосходных качеств.

Хох-хо! Ясно...

Приплыли!

Вот и Тоуд-Холл, скромное убежище мистера Жабы!
Что, эта белая лачуга под ивой?
Hic

Так-так! Похоже, с лодочным спортом покончено...

А вот и он...
Хм-м... Вид у Тоуди задумчивый...

О! Друзья мои!
Как это мило! Я только что собирался послать за вами!

Ну, чем вас угостить? Прошу!
Чайку?.. Или сока?
Да не стойте же вы, садитесь...
А здесь неплохо...

Неплохо? Благодарю! Однако позвольте заметить, это самый прекрасный дом на всей реке!
И где бы то ни было...
ПЫХ ПЫХ

МИГ!
МИГ-МИГ!

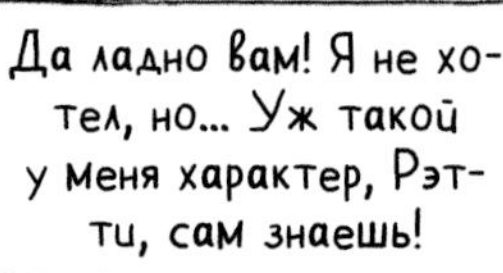
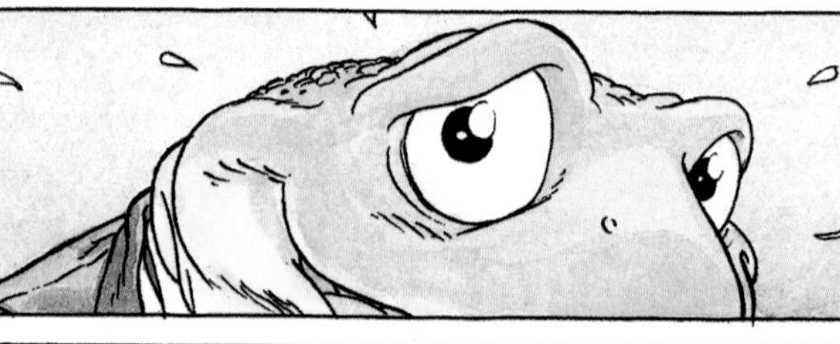
Да ладно вам! Я не хотел, но... Уж такой у меня характер, Рэтти, сам знаешь!
И потом, это ведь не такой уж плохой дом, правда?

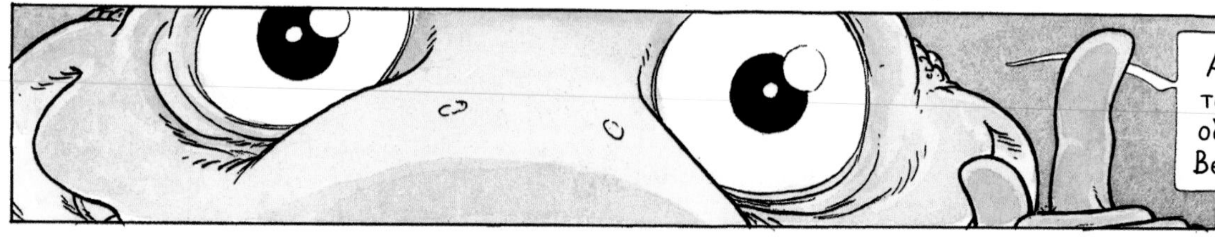
А теперь слушайте, я расскажу вам об одном проекте... Великом ПРОЕКТЕ!

Идемте, я вам кое-что покажу...
Тцц! Тц!
СХЛЮП!

Вот вам истинная жизнь, господа! Сегодня здесь, а завтра уже совсем в другом месте! Весь мир перед вами, и горизонт всякий раз иной!

Широкие проселки, пыльные большаки, вересковые пустоши, равнины, аллеи между живыми изгородями, спуски, подъемы! Ночевки на воздухе, деревеньки, села, города!..

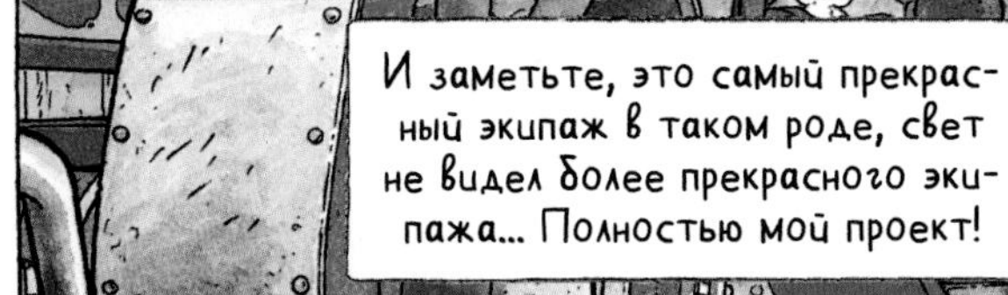
И заметьте, это самый прекрасный экипаж в таком роде, свет не видел более прекрасного экипажа... Полностью мой проект!

Войдите внутрь!
Сделано со вкусом...

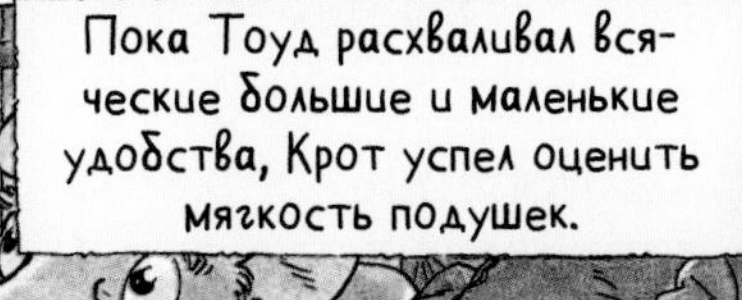
Пока Тоуд расхваливал всяческие большие и маленькие удобства, Крот успел оценить мягкость подушек.

Как видите, все готово к нашему отъезду после обеда.

Прости...
...ты, кажется, сказал «к нашему»?

Разумеется. Я просто никак не могу без тебя обойтись, ты уж, пожалуйста, считай, что мы уговорились. И не спорь!.. Я хочу показать тебе мир!

Вы же не собираетесь всю жизнь просидеть на этой вашей скучной речке?
Вот именно! Собираюсь! И Крот тоже...

Верно ведь, старина?
Д... да!.. Ко... конечно...

...но капельку покататься было бы весело!

Вот-вот, речь лишь о том, чтобы «капельку покататься»... Пошли в дом, перекусим чего-нибудь.

Постепенно Рэт, внутренне не очень-то со всем согласный, позволил своей доброй натуре взять верх над личным нежеланием. Ему было трудно разочаровывать друзей.
Осталось уломать старую лошадь, которая открыто предпочитала непонятному приключению уют любимой конюшни. Еще бы, ведь с ней никто предварительно не посоветовался!.. Тем временем мистер Тоуд набил рундучки всякими необходимыми вещами...

Наконец они тронулись в путь...
Было золотое предвечерье. Запах пыли, которую они поднимали по дороге, был густой и успокаивающий. Из цветущих садов по обеим сторонам дороги их весело окликали птицы. Казалось, все вокруг их приветствовало; все, что бегало, прыгало, ползало и карабкалось...

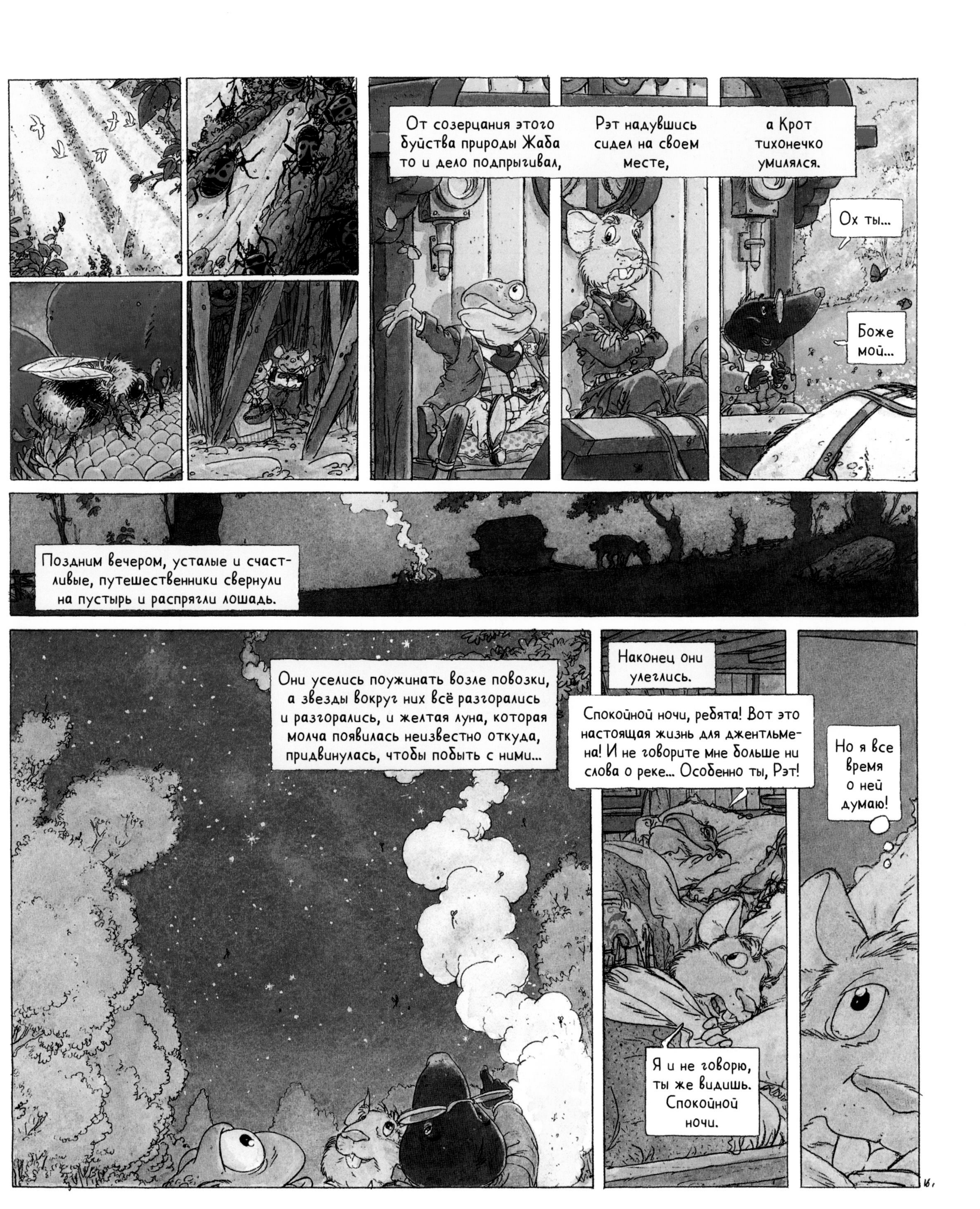

От созерцания этого буйства природы Жаба то и дело подпрыгивал,
Рэт надувшись сидел на своем месте,
а Крот тихонечко умилялся.
Ох ты...
Боже мой...
Поздним вечером, усталые и счастливые, путешественники свернули на пустырь и распрягли лошадь.
Они уселись поужинать возле повозки, а звезды вокруг них всё разгорались и разгорались, и желтая луна, которая молча появилась неизвестно откуда, придвинулась, чтобы побыть с ними...
Наконец они улеглись.
Спокойной ночи, ребята! Вот это настоящая жизнь для джентльмена! И не говорите мне больше ни слова о реке... Особенно ты, Рэт!
Но я все время о ней думаю!
Я и не говорю, ты же видишь. Спокойной ночи.

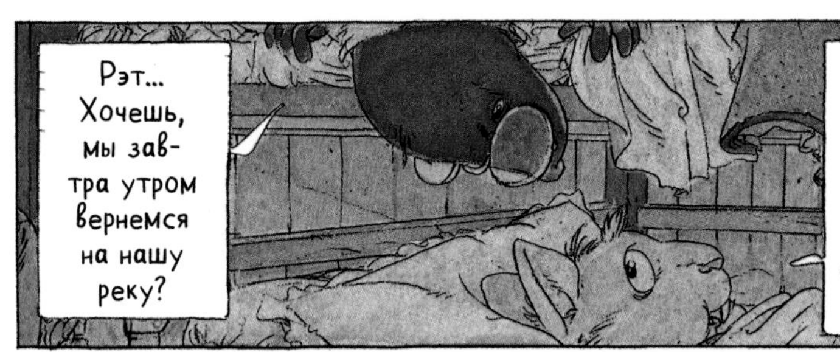
Рэт... Хочешь, мы завтра утром вернемся на нашу реку?
Спасибо, но я предпочел бы остаться. Небезопасно оставлять Тоуда одного, за ним надо приглядеть... Впрочем, скоро все само кончится.

Его причуды недолговечны... Спокойной ночи!
Рэт как в воду глядел...

Мистер Тоуд! Эй, мистер Тоуд... Солнце уже высоко.
Оставь, старина, это бесполезно.

Рэт и Крот мужественно принялись за дела, коих было немало: обиходить старую лошадь, разжечь костер, вымыть оставшуюся от ужина посуду...

кудах?
...сходить в ближайшую деревню и купить кое-что необходимое, что мистер Тоуд, конечно, позабыл взять с собой...

...приготовить завтрак...

Куд?
Пф-фу-у... Отдохнем, пока чай заваривается...

А-а-а, друзья мои! Видите, какую приятную и легкую жизнь мы теперь ведем по сравнению с заботами и хлопотами домашнего хозяйства!

А... а почему вы на меня так смотрите? Что я такого сказал?

Они прелестно провели этот день, ездили туда-сюда по заросшим травкой холмам, вдоль узеньких переулочков и остановились на ночлег, опять подыскав подходящий пустырь.
Крот был на седьмом небе! Он достал свой блокнот и начал заносить туда все, что видел вокруг.

Я ведь вам уже говорил, что Крот обожал блокноты и каждый вечер делал множество зарисовок?

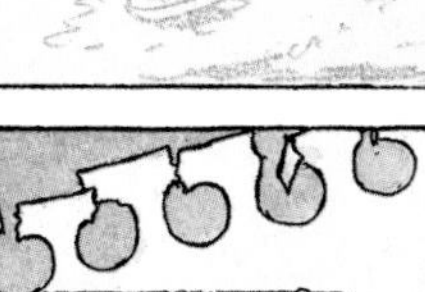

Вот, например, Тоуд, который на этот раз по-честному взялся делать свою долю повседневной работы...

...но вскоре опять залег в койку, сославшись на ломоту и усталость...

...пришлось извлекать его силой!

А это момент, когда друзья вновь отправились в путь.

Крот шагал впереди повозки и беседовал с лошадью: та жаловалась, что на нее никто не обращает внимания и даже не спросил ее имени. Мистер Тоуд и дядюшка Рэт разговаривали друг с другом – то есть Тоуд говорил, а Рэт думал о своей реке...

И тут на сцену вышла Судьба!
?

18 -

Они услышали какой-то металлический звук и тут же увидели небольшое облачко пыли.
?!
Бип
Бип
Бип
Бип
Бип
Кудах?
БИП
БИ
ИИИИИИИИИИИИИ
Бип
Бип
Пуф
Па
Пуф
чухчух
чухчухчухчух
чухчухчухчух......
Что это было? Что это было?
Тихо, моя хорошая, тихо...
Бип
Бип
Городские!
Негодяи! Разбойники с большой дороги! Мерзавцы!! Прогресс, тоже мне!!!
Мистер Тоуд, вы в порядке?
Би... Бип...
Крот, дружище, вы это видели?
БИП... БИП...
чух
БИП БИП БИП
пуфф
БИИИИ... БИП...
пуфф
БИП!
Чу́дное... Потрясающее... виде́ние...

БИП
БИП
БИП
ПУФФ
БИП
ПУФФ
БИП
Что это с ним?
Но было поздно... Тоуд слетел с катушек, тронулся умом, спятил, рехнулся... Проще говоря, потерял голову.

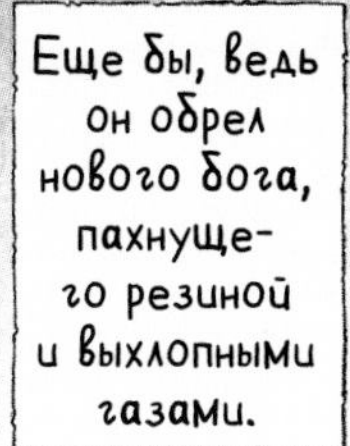
Еще бы, ведь он обрел нового бога, пахнущего резиной и выхлопными газами.

БИП
БИП
БИП

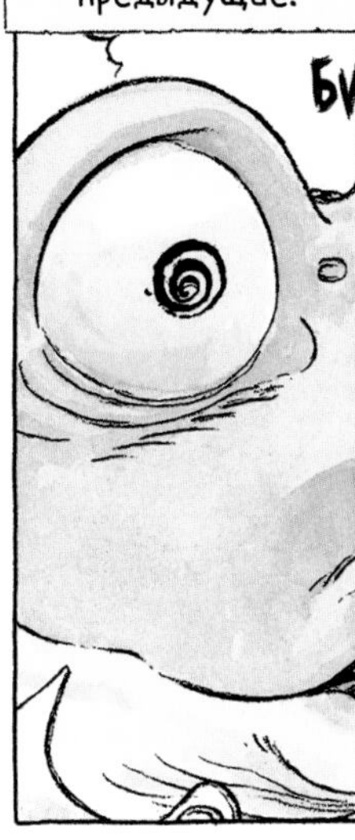
И тут ничего нельзя было сделать. Только ждать, когда пройдет его новый бзик, как и все предыдущие.

Увы, на сей раз все выглядело гораздо серьезнее.

Кроту и Рэту оставалось лишь отвести своего незадачливого приятеля на ближайший вокзал.
БИП
БИП
БИП
БИП
Кудах?
Старая лошадь домой добралась сама. Она отлично знала дорогу.

А пару недель спустя до наших друзей долетела новость: Жаба заказал в городе автомобиль.
Это значит, жди неприятностей.

3. Дремучий Лес

Крот уже давно хотел познакомиться с Барсуком, заключив, что это фигура важная.
Но дядюшка Рэт всякий раз отвечал очень неопределенно...
Хорошо, хорошо... Как-нибудь — обязательно...
Нет, пригласить его не получится... Он ненавидит обеды и все такое.
Зайти к нему? Даже не думай, Барсуку это решительно не понравится.
И потом, это невозможно. Он живет в самом сердце Дремучего Леса... Не сейчас.
Это вечное «не сейчас» еще больше разжигало любопытство Крота...
21.

...которое со временем даже не думало угасать. Скорее наоборот.

Немало воды утекло здесь, в тени ив, с тех пор как Крот познакомился с Рэтом. Весна сменилась летом, за ним пришли холода...

Да, Кроту было что вспомнить...

Сколько иллюстраций, нарисованных самыми яркими красками! Ах, какой это был спектакль!..

Хотя почему «был»? Он продолжался, разве что прогулки стали реже из-за погоды...

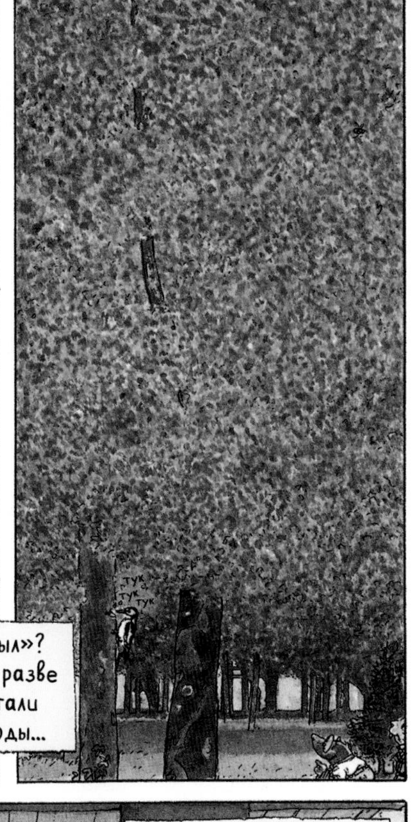

Долгими осенними вечерами Крот старательно изливал свои воспоминания на бумагу...
Интересно, чем сейчас занят Барсук?

Барсук!
Увидев, что Рэт задремал, сидя в кресле возле огня, Крот принял решение.
Хр

Стоял тихий холодный день, когда он шмыгнул наружу из теплой гостиной. Земля вокруг была гола и безлистна.
Он подумал, что никогда еще...
...не заглядывал так глубоко в суть вещей...
...как в этот зимний день, когда природа точно сбросила с себя все одежды.
Холмы и лощины были печально доступны со всеми их секретами и, казалось...
...просили не замечать их неприкрытой бедности.
!
Не отдавая себе отчета, Крот оказался в Дремучем Лесу...

Поначалу, когда он только вошел, ничто его не встревожило. Боязливый старина Рэт, конечно, преувеличивал!
Более того, Лес показался ему красивым.
Запах грибов и прелой листвы приятно щекотал ноздри...
Лесная глубь понемногу заманивала, дупла начали кривить рты, напоминая что-то знакомое, но далекое...
Хи-хи!
Сперва это было весело.
И тут до него стали доноситься звуки, негромкие, но тревожные.
КРРАК
ФРШ
ФРРССССС

!
А потом появились они – «рожицы»...

Никого...
Однако Крот готов был поклясться, что неясно видел два маленьких злобных глаза...

Он ускорил шаги, бодро убеждая себя не воображать всякое.

Там! Снова они, эти острые глазки!
...
И там!
И тут тоже...

Норы, кругом норы. И эти гримасы, эти узенькие рожицы с глазками... Злобные, ненавидящие... Добра от таких не жди! Крот почувствовал дуновение, и по его спине пробежал холодок...
Тогда вдруг послышался свист, тихий, но очень пронзительный.

УААААХ... Похоже, я слегка задремал...

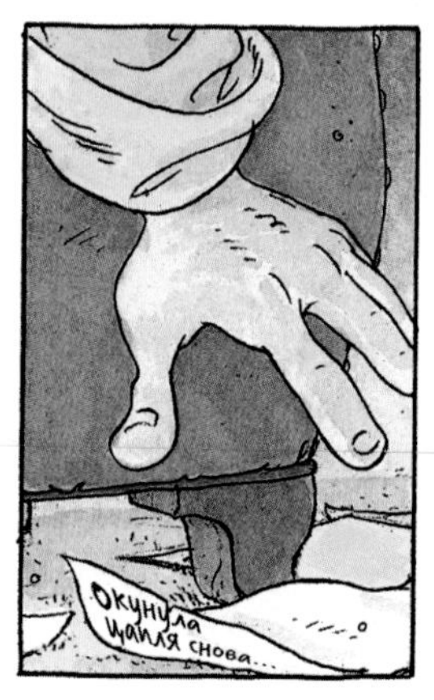
Окунула цапля снова...

Как вам эти строки, дружище?
«Окунула цапля снова Шею длинную в ручей – Места нет на ней сухого, Вся промокла до костей...»

Ау! Или от восторга вы потеряли дар речи?
Кро-от?..

Я так
и знал!!
Шарфа на ве-
шалке нет...
Да, Крот
отправился
к Барсуку!..

А путь лежит
через Дрему-
чий Лес...
Безумие!

Дремучий Лес...
Бедолага!

Бедолага...

Потрескивания... Шоро-
хи... всё ближе и ближе...
Хуже того:
всё чаще!

Прочь. Прочь отсю-
да. Прочь из этого
проклятого места.
Фрршшшш
Ай!

Прячься,
дурак!
Уф! Это про-
сто кролик...

Легко
сказать –
«прячься»...
Но где?

ОЙ!

Я спасен!

Тем временем Рэт уже больше часа терпеливо обыскивал Дремучий Лес...

Я жалости не знаю,
Любого напугаю!
Как встречу я злодея,
Так дам ему по шее
И уши надеру,
На части разорву!
Сидите, злюки, дома –
Мне жалость незнакома!..

Ну а Крот?

Он замер в расщелине старого вяза – измученный, но, кажется, в безопасности. Надолго ли?

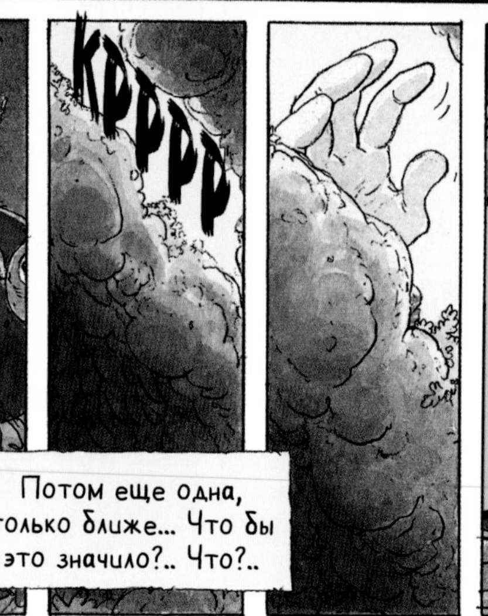

КРРРРР
И вдруг снаружи треснула ветка.
Потом еще одна, только ближе... Что бы это значило?.. Что?..

Привет, Кротик,
это я, Рэт...

Рэт, дружище! Если б вы только знали!

Ну-ну, все хорошо...
Я... Я просто хотел заглянуть к Барсуку... Хлюи!

Ай-яй-яй! Не стоило этого делать.
О, Рэт, не ругайте меня слишком сильно, я и без того наказан...

И очень устал...

Хорошо, хорошо. Можете немного передохнуть, а я пока покараулю снаружи...

Рэт не зря считался хорошим другом, который никогда не бросит товарища одного... Поэтому он не стал тянуть и тотчас отправился вслед за Кротом в царство Морфея, на всякий случай держа пистолет наготове...
Прошло несколько часов, будто и не бывало...
Хр...
Хрро...
Плюх!

Боже правый! Вот это да! Эй, старина, проснитесь!

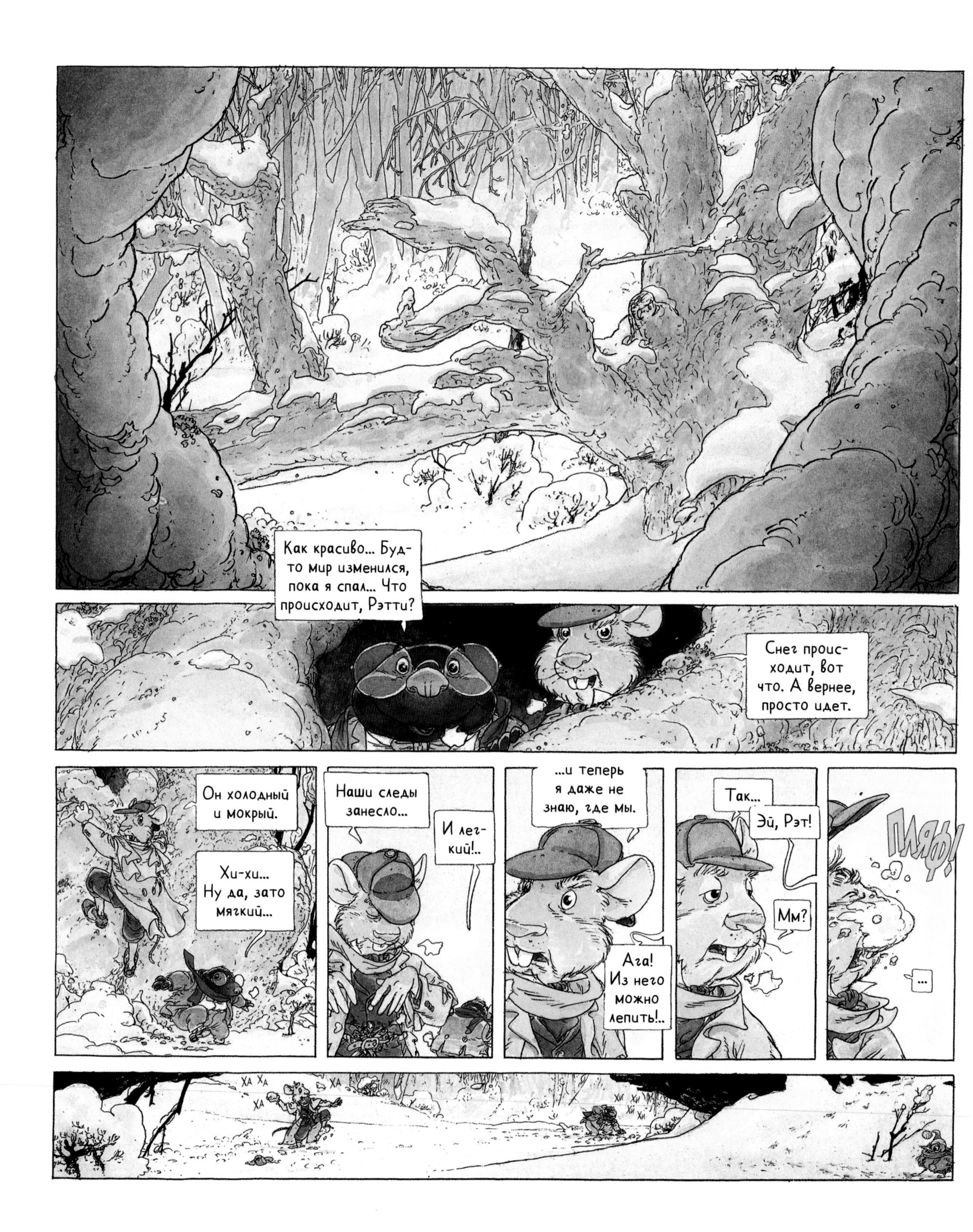
Как красиво... Будто мир изменился, пока я спал... Что происходит, Рэтти?
Снег происходит, вот что. А вернее, просто идет.
Он холодный и мокрый.
Хи-хи... Ну да, зато мягкий...
Наши следы занесло...
И легкий!..
...и теперь я даже не знаю, где мы.
Ага! Из него можно лепить!..
Так...
Эй, Рэт!
Мм?
ПЛЯФ!
...
ХА ХА ХА ХА
ХИ ХИ ХИ

Однако Рэт беспокоился не напрасно. Час или два спустя они совсем утратили ощущение времени. Снегу нападало столько, что друзья едва брели через сугробы, а деревья росли все чаще и чаще и были уж совсем неотличимы одно от другого. Казалось, этому лесу нет конца, и начала у него тоже нет, как нет и никакой разницы в любом его месте, и, что хуже всего, – выхода из него тоже нет никакого...
Хи хи
Тьфу!
?
Случилось то, чего я так боялся... Дорогой Крот, похоже, мы заблудились...
Заблудились?! О боже...
Зна... значит, мы... мы погибнем от холода?..
Так точно...
Ох... Если раньше я не умру от усталости...
Тогда вам холод не страшен!
АЙ!
Ну что там еще?
Я сел на что-то острое... Хм! Тут и коврик есть...
ЧТО-О?!

Он нашел коврик,
Вот благодать!
Он нашел коврик,
Будем копать!
Не понимаю, почему вас так взбудоражил тот факт, что я уселся прямиком на чью-то скобу для очистки обуви?
Бедняга наверняка ее скоро хватится...
Идея! Вернем эту штуку хозяину!
Только как же его найти?
Крот! Идите сюда...
Элементарно, мой милый Крот. «Коврик для ног» значит «входная дверь». «Входная дверь» значит «дом». А чей еще дом может быть в этой глуши, кроме как Барсука? Да еще с ковриком для ног!

Ух ты! Дом Барсука! Вы настоящий детектив!
Барсук

Куницы, ласки и прочие горностаи о таких мелочах даже не задумываются...

Вы... Выходит, мы спасены?!
Да... Ежели Барсук у себя...

И Рэт принялся изо всех сил стучать в дверь. Крот же набросился на звонок и чуть ли не повис на железной петле, раскачиваясь на ней и болтая задними лапами... Наконец ему показалось, будто где-то вдали, в глубине отзываются звуки шагов. Или это его зубы выбивают глухую дробь?

4. Дядюшка Барсук

Иду, иду! Сколько можно?

БОМ
БОМ
ДОН
Гррмбл... Так, если это повторится еще раз, я ужасно рассержусь. Кто там? Ну-ка, отвечайте!!

Сказал же, иду, блины на меду!!
БОМ
БОМ
Никакого воспитания, честное слово! ГРРМБЛ
ПЛЯФ!
ЩЕЛК
ЩЕЛК

?!!

Плюх!

Ах вы, сорванцы! Я вам покажу, как снеговиков у дверей лепить! Нет, ну эти кролики совсем распоясались!!!..
Чхи!
?!!
Кто... Кто это сказал?
...Я...
Рэтти? Дружище!.. Боже мой, да вы, должно быть, продрогли! Подумать только! Заблудились в снегу! И не где-нибудь, а в Дремучем Лесу, да еще в такую поздноту! Небось, очередная выходка Жабы?
Уф!
Чхи! Чха!
Ну давайте входите же...
Они шли за Барсуком по длинному, мрачному и довольно обшарпанному коридору.
Наконец Барсук распахнул настежь крепкую дубовую дверь, и они сразу же очутились в тепле и свете большой, с пылающим камином, кухни. Пол в кухне был из старого, исшарканного кирпича, в огромном устье камина пылали бревна.
Проходите... А я приготовлю вам что-нибудь для согрева...
Казалось, что холодный Дремучий Лес остался далеко-далеко...

Барсук сервировал для них роскошную трапезу и с блаженной улыбкой уселся во главе стола.
Не желаете рассказать, что с вами стряслось?

Крот и дядюшка Рэт бросились живописать свои злоключения, совершенно позабыв о приличиях. Они не стесняясь говорили с набитым ртом, то и дело перебивая друг друга.

Но Барсук не обращал на это никакого внимания. Поскольку сам он не любил бывать в обществе, то полагал, что условности не имеют значения.
Он лишь мрачно кивал, будто не находил в их рассказах ничего удивительного. Он не приговаривал: «Я вас предупреждал» или «Я же об этом сто раз говорил», не поучал и не упрекал.

Он просто слушал.
Такое поведение необычайно расположило к нему Крота.

Когда с ужином наконец-то покончили, они еще поболтали о том о сем, сидя у большого камина.
А как поживает старина Тоуд?
О-о-о-о... Чем дальше, тем хуже...

Вот как? И что с ним?
Бедняга рехнулся на почве автомобилей!!! Он разбил уже шесть... нет, семь машин!!! Каретный сарай заполнен обломками...
...хлюп... ...и еще конюшня!
Он трижды лежал в больнице... А уж сколько денег ушло на ремонт и штрафы, даже страшно подумать!.. Эдак он или убьется, или пойдет по миру!
Хуже. И то и другое разом!!
Хм-м.
Надо с ним что-то делать, друг все-таки. Как только придет тепло, мы за него возьмемся...
...верно, Рэт?
Говорю, верно, Рэт?
А? Что?.. Нет-нет, я не сплю!..
Барсук был прав. Все зависят от погоды, так или иначе... Зимой большинство зверей сонные, а некоторые по-настоящему спят. Они отдыхают от пламенных летних дней, когда вся их энергия была пущена в ход...
Вдоволь посмеявшись над сонливостью Рэта, друзья пришли к выводу, что время и правда позднее, а значит, пора на боковую. Вооружившись лампой, Барсук повел гостей в спальню.
Впрочем, спальней комната была лишь наполовину. Скорее, она напоминала кладовую, где хранились запасы на зиму.
Однако две небольшие, чисто застланные кровати, стоявшие на свободной части, так и манили к себе, а белье было хоть и грубоватой ткани, но приятно пахло лавандой, так что дядюшка Рэт и Крот, недолго думая, нырнули в чистые простыни.

На следующее утро гости не стали спешить, чтобы пораньше спуститься к завтраку, – в точном соответствии с предписанием доброго хозяина!..
М-м?
Самая приятная вещь по утрам – это завтрак! Кто последний окажется за столом, тот лентяй!

Я выиг...
!

Так, так... Вы, юноши, откуда взялись?

Сэр, мы с Билли пошли было в школу, это нам мама велела, хотя погода очень испортилась... Ну, и мы, конечно же, заблудились, и Билли начал реветь, потому что он еще маленький!
Неправда! Это ты все время ревешь!

К счастью, мы оказались возле двери мистера Барсука и решили постучать, потому что мистер Барсук очень добрый.
Врешь ты все! Ты сам испугался!

И где же он, наш славный Барсук?
Сэр, он пошел к себе в кабинет и просил ни под каким видом не беспокоить...
Сам испугался, а сам говорит!

Подумать только, дорогой Рэт!
Такая рань, а он уже весь в работе! ...хр-рум ням... Вот это я понимаю!..
Рэт разразился смехом: ему было ясно, что Барсук, как следует позавтракав, удалился в свой кабинет, уселся в кресло, задрал ноги на стул, что стоит напротив, и занялся тем, чем обычно занимаются в это время года. Проще говоря, он заснул.

Как вдруг на входной двери громко зазвонил колокольчик...
Хм! Кто бы это мог быть?..
?

Ну и погодка! Бр-р-р!
Ха! И вы здесь? Я так и знал!
Выдра! Какой приятный сюрприз...

Там, на берегу реки, все в панике...
«Рэт не ночевал дома, и Крота тоже нигде нет, наверняка случилось что-то ужасное...» И следы ваши, конечно, занесло снегом.

Но я так и знал. Когда кто попадет в затруднение, тот отправляется к Барсуку! Вот и я пошел прямо сюда, в Дремучий Лес, по снегу...
М-м-м-м... Крот, старина, не в службу, а в дружбу, поджарь-ка мне кусочек-другой ветчинки...

Ух как там сегодня красиво!.. Солнце встало красное-красное, окрасило весь снег розовым... И такая тишина! А время от времени целая шапка снега – шлеп! – срывается с ветки, и ты отскакиваешь и ищешь, где бы укрыться...
За ночь воздвиглись дворцы, и пещеры, и мосты, и крепостные валы. Там кое-где валяются огромные ветки – они рухнули под тяжестью снега, а снегири по ним скачут с таким важным видом, точно это они всё сделали.

На полпути я встретил кролика – ох и испугался он, когда я подкрался сзади! Мне пришлось пару раз его стукнуть, чтоб добиться какого-нибудь толку! Ох уж эти кролики!..
Спасибо. Еще бы пару селедок...

В конце концов мне удалось вытянуть из него, что какой-то кролик вечером видел в Дремучем Лесу Крота.

В кроличьих норах вчера только и разговору было, как Крот попал в переплет. Они нарочно стали его заманивать и водить по лесу кругами. «Лучше бы помогли!» — сказал я. А он: «Надо было дома сидеть!» Вот же негодник!!!
Р-ро!
Ик!

Ну, я и стукнул его еще разок для порядка. Впредь будет наукой... Ха!
Всем привет, лапша и паштет! Как самочувствие, друзья? Выспались?

Дело идет к обеду. Выдра, может, останешься и поешь с нами?
Охотно. При одном взгляде на этих молодых обжор, этих ежат, набивающих животы жареной ветчиной, кто хочешь начнет умирать с голоду.

Ну а вам, ребятишки, пора домой, к маме.
Держите.
Спасибо.

До свиданья!
Славные малыши. Хоть я им ни на миг не поверил, они просто решили прогулять школу. Рэт, плесни-ка нам сидра, а я пока соберу на стол.

Барсук отдавал предпочтение блюдам простым, но сытным, которые часами томят на слабом огне, будь то овощи в горшочке или мясное рагу.
Поскольку Выдра и Рэт опять погрузились в речные сплетни и ничто не могло их от этого занятия отвлечь, Крот воспользовался случаем и заметил Барсуку, как уютно и по-домашнему он чувствует себя у него в доме.

Благодарю. И правда, нигде нет такой тишины и покоя, как под землей... И такой безопасности!
Возьмите Рэта: стóит паводку подняться на пару футов, как его дому крышка!
Да уж!

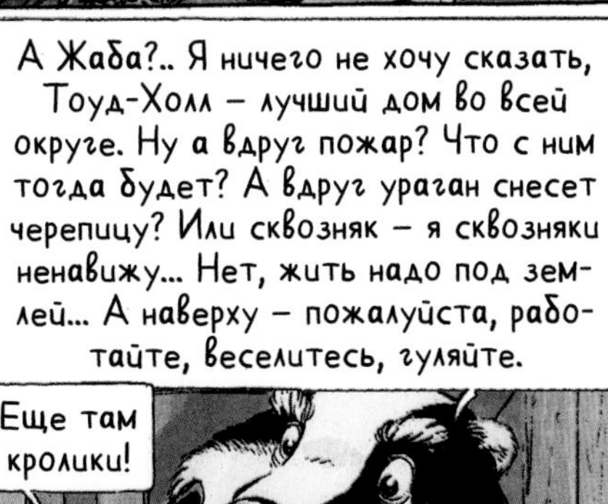
А Жаба?.. Я ничего не хочу сказать, Тоуд-Холл – лучший дом во всей округе. Ну а вдруг пожар? Что с ним тогда будет? А вдруг ураган снесет черепицу? Или сквозняк – я сквозняки ненавижу... Нет, жить надо под землей... А наверху – пожалуйста, работайте, веселитесь, гуляйте.
Еще там кролики!

Под землей ты сам себе хозяин!
Вы мне нравитесь. Оставим этих двух болтунов, я раскрою вам тайны моей норы.

Уверен, она вам понравится. Вы знаете толк в архитектуре.
О-о-о-о... Мне, право, неловко...

Они двинулись по одному из главных коридоров. Колеблющийся свет фонаря на мгновение высвечивал по обеим сторонам разные помещения – то маленькие, величиной не больше шкафа, то просторные и впечатляющие. Крот был потрясен размерами и размахом всех этих ответвлений, длиной сумрачных переходов, толстыми сводами набитых припасами кладовых.
Пришли...

Ну как?
39

По... потрясающе!! Где же вы взяли силы все это построить в оди...

...В одиночку? Ха-ха, тушеные потроха! Что вы, моей заслуги тут нет, я только расчищал коридоры и помещения по мере надобности. Сейчас объясню... Давным-давно на том месте, где теперь шумит Дремучий Лес, задолго до того, как он вырос таким, каким мы его знаем, был город.

Человеческий город... Люди верили, что он будет стоять вечно, поэтому строили крепко.
Но... что же произошло?

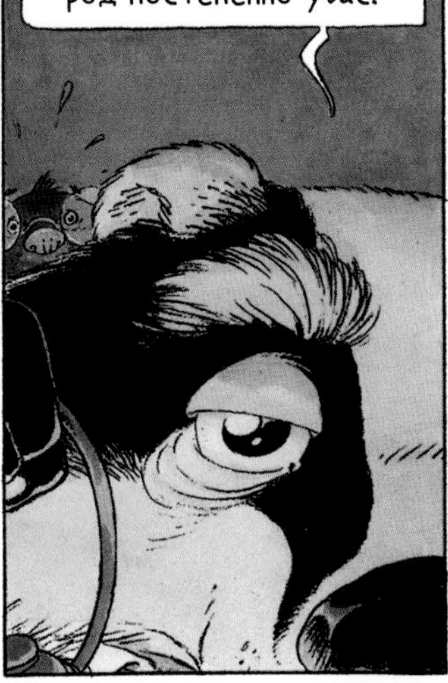

Кто знает?.. Голод, войны... да просто износ! Время! Народы приходят, живут, процветают, строятся, а потом уходят. Таков их удел, жизнь есть жизнь... Город постепенно угас.

За дело взялись сильные ветры и затяжные ливни — терпеливо, не останавливаясь, день за днем, год за годом. Город разрушался, исчезал, опускался вниз... И тогда вверх потянулся лес. Семена прорастали, молодые деревца вытягивались и крепли. Листья опадали, становились перегноем, образуя почву, и покрывали руины...

Так родился Дремучий Лес, и скоро в нем появились звери. Они осели, устроились...
Они не утруждали себя мыслями о прошлом, им было некогда... Сейчас Дремучий Лес плотно населен, среди его обитателей есть и хорошие, и плохие, и так себе, никакие. Я, конечно, не называю имен... Разнообразие и создает мир. Жизнь идет своим чередом, вот и все.

Впрочем... Завтра я кое с кем переговорю, и у вас не будет неприятностей.

Крот и думать не думал, что Барсук может быть таким разговорчивым. Но как же увлекательны его речи! Барсук в совершенстве владел искусством раскрывать перед вами глубинную суть вещей, будто и впрямь знал все наверняка, и никакие отвлекающие маневры не могли отнять у него это знание...

С меня хватит! Не могу больше!!
40.

Что с вами, Рэт?
Ничего! У мистера Рэта хандра, воздух подземелья для него, видите ли, слишком тяжел!
Похоже, он всерьез думает, что без него речка куда-то сбежит!..

Извини, Барсук, но мы, водяные крысы, и правда не можем жить под землей... На то мы и водяные!
Понимаю, дружище, и нисколько на тебя не сержусь. Все мы такие, какие есть.
Ну, коли уж сигнал дан, то и я с вами пойду.

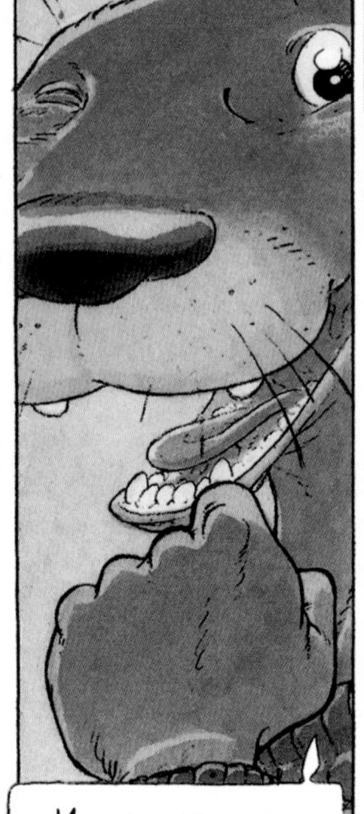
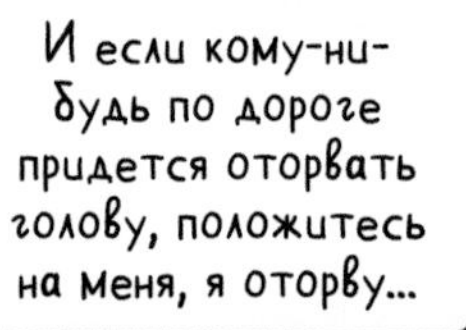
И если кому-нибудь по дороге придется оторвать голову, положитесь на меня, я оторву...

Не суетись, Выдра, мои туннели ведут гораздо дальше, чем ты думаешь. И у меня есть запасные выходы в разных местах опушки...
За мной...
Однако, господа, прошу сохранить это в секрете...
Ясно!
...не хочу, чтобы о моих тайных путях прослышали.
Даю честное слово...
И я.

И Барсук повел их сырым и душным туннелем, который то извивался в каменистой породе, то нырял вниз, под кирпичные своды, и тянулся, тянулся, тянулся... как им показалось, несколько миль.

Наконец сквозь заросли, скрывавшие выход, забрезжил слабый дневной свет.

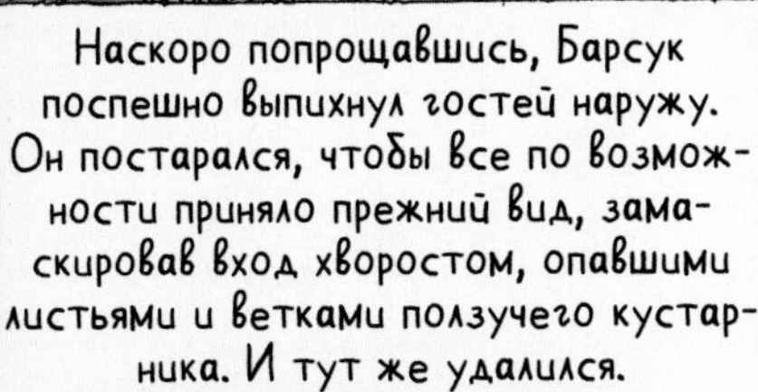
Наскоро попрощавшись, Барсук поспешно выпихнул гостей наружу. Он постарался, чтобы все по возможности приняло прежний вид, замаскировав вход хворостом, опавшими листьями и ветками ползучего кустарника. И тут же удалился.

Грмбл.
Осторожно, Крот, вы опять сейчас упа...
БРРУФ

Они увидели, что стоят на самой опушке Дремучего Леса. Позади чернели голые ветви деревьев и громоздились мрачные валуны, обрамляя лежащее впереди огромное пространство спящих полей, укрытых чистейшим снегом.

Крот чуть задержался, вспомнив уютную подземную жизнь вдали от суеты и забот... Вдали от мира.
Разумеется, кому-то она покажется скучной, лишенной ярких эмоций, но Крот прекрасно знал, что и в ней есть место множеству маленьких приключений.

5. Добрый старый дом

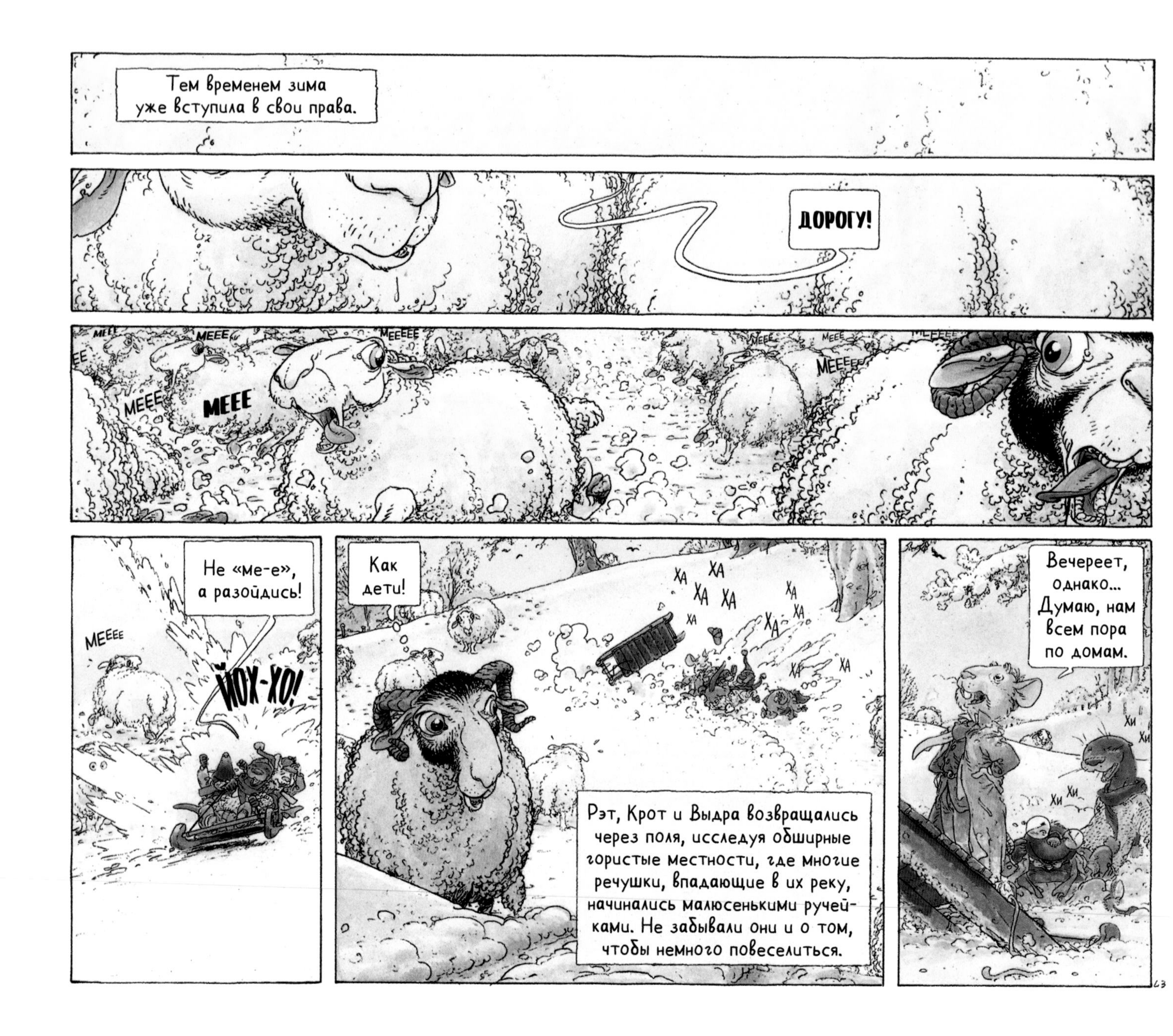

Тем временем зима уже вступила в свои права.
ДОРОГУ!
МЕЕЕ
МЕЕЕ
МЕЕЕ
МЕЕЕЕЕ
МЕЕЕЕЕ
МЕЕЕЕ
Не «ме-е», а разойдись!
ЙОХ-ХО!
Как дети!
ХА ХА ХА ХА
Рэт, Крот и Выдра возвращались через поля, исследуя обширные гористые местности, где многие речушки, впадающие в их реку, начинались малюсенькими ручейками. Не забывали они и о том, чтобы немного повеселиться.
Вечереет, однако... Думаю, нам всем пора по домам.
ХИ ХИ
ХИ ХИ

И то верно. Что ж, здесь наши дороги расходятся. Не заблудитесь?
Я полностью доверяю дядюшке Рэту...
крак!
Ай!

Ни в коем случае! Я отлично знаю эту тропу...

Рэтти, вы непревзойденный гид...
Река
Успокоенный словами друзей, Выдра сломя голову понесся домой, спеша поведать своему младшему все тонкости подледного лова.

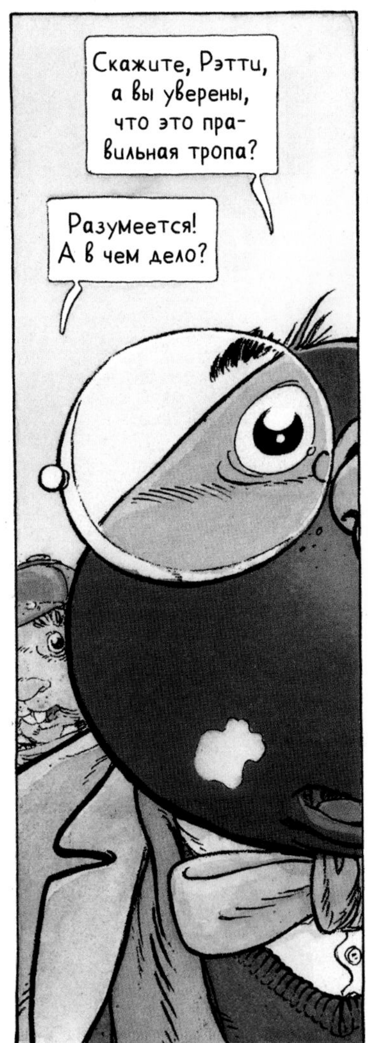
Скажите, Рэтти, а вы уверены, что это правильная тропа?
Разумеется! А в чем дело?

Похоже, мы идем прямо в деревню...
И верно: тропа постепенно превратилась в дорожку, а дорожка – в улицу, которая изготовилась поручить их заботам хорошо вымощенной дороги. А звери, сказать по правде, не очень-то любят деревни...

Не берите в голову, старина... В это время года люди сидят по домам, возле печек.

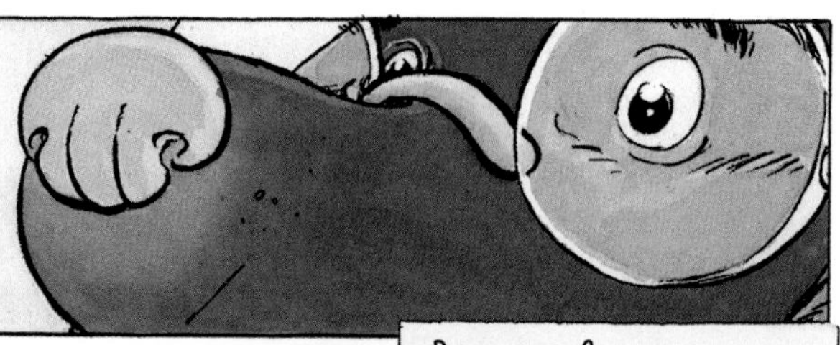

И мне не терпится последовать их примеру!

Звери предпочитают сторониться людей, уж больно непредсказуемы их реакции: то они готовы часами вас гладить, то вдруг швыряются в вас камнями... Поди разберись почему...

Ранние декабрьские сумерки совершенно завладели маленькой деревушкой. Как говорится, в такую пору хороший хозяин собаку не выгонит... Но это хороший.

Привет, ребята!

Как поживаете?

...драсть...

Вскоре совсем стемнело. Из тусклых оранжево-красных квадратов по обеим сторонам улочки доносились обрывки человеческих разговоров.

Дети! А ну спать, я кому сказала!

Большинство низких решетчатых окон не были стыдливо прикрыты гардинами, и для заглядывающих с улицы все обитатели домиков превращались в актеров, разыгрывающих сценки самого разного содержания.

Тут семейная драма.

А тут – комедия положений.

Или вот: подробная хроника спокойной, размеренной жизни.

Зз
Ммм
...
Зз
Пока они смотрели на птицу, та вдруг забеспокоилась, проснулась и подняла голову... и тут же снова спрятала ее в перьях.

Потом порыв холодного ветра схватил их за загривок, мокрый снег, попавший за воротник, больно ужалил и точно разбудил ото сна.
Довольно. Нам пора в путь.
Я устал, у меня ноги окоченели...

Дома внезапно кончились, и сразу же с обеих сторон дороги к ним пробился дружелюбный запах полей. Путники тотчас взбодрились, приготовившись к последнему длинному переходу. Они шагали споро и молча, каждый занятый своими собственными мыслями...

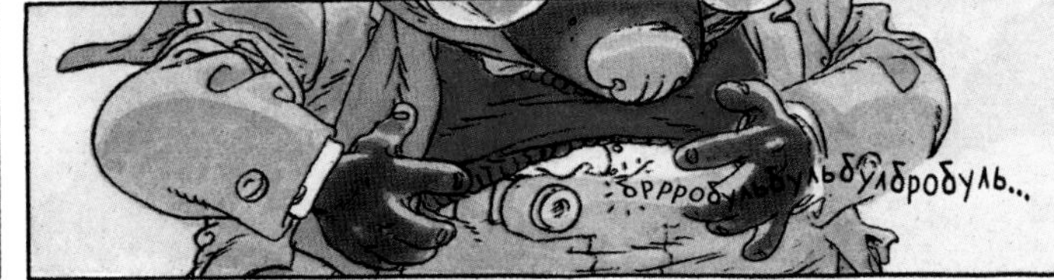
бррробульбульбулбробуль...
Мысли Крота в значительной степени вращались вокруг ужина, чему способствовало громкое бурчание в животе.

И вдруг он остановился как вкопанный.
Его нос ухватил тоненькую ниточку... **ЗДЕСЬ!**

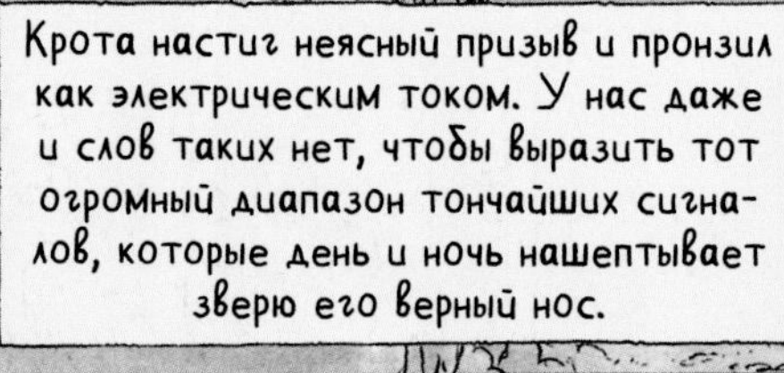
Крота настиг неясный призыв и пронзил как электрическим током. У нас даже и слов таких нет, чтобы выразить тот огромный диапазон тончайших сигналов, которые день и ночь нашептывает зверю его верный нос.

Нюх
Нюх
Не отставайте, нам лучше поторопиться...

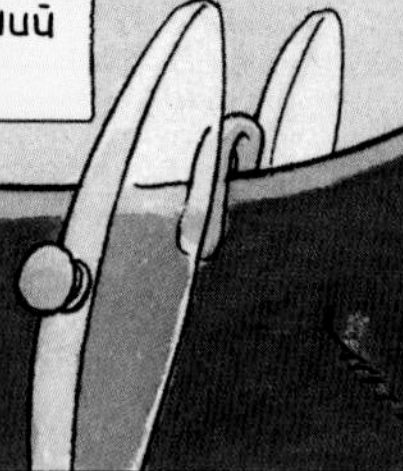
И вот сейчас его нос изо всех сил старался нащупать и ухватить эту самую ниточку, этот телеграфный проводок, который донес так сильно его взволновавший зов. Воспоминания обрушились на Крота потоком.
Нюх
Нюх
Эй! Я вам говорю!

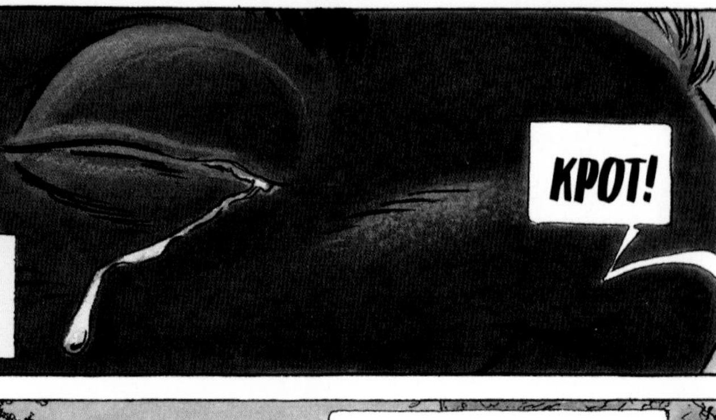
Дом! Вот что обозначали эти мягкие прикосновения маленьких невидимых рук. Чьи-то ласковые призывы влекли, притягивали и манили всё в одном и том же направлении.
КРОТ!
Ну да, он где-то тут, совсем близко, его дом, который он так торопливо оставил. Старенький, небольшой и неважно обставленный, но его.

Мы не должны медлить, честное слово! Уже поздно, и снег опять скоро повалит... Мы вернемся сюда завтра, если угодно.

И Рэт двинулся дальше, не дожидаясь ответа. Бедный Крот стоял один на дороге, и сердце его разрывалось, и печальный всхлип копился, копился где-то у него в глубине, чтобы вот-вот вырваться наружу.

Но преданность другу выдержала и это испытание тоже. Тем временем дуновения, исходившие от старого дома, шептали, молили, заклинали и под конец уже стали настойчиво требовать. Не будучи в силах дольше находиться в их заколдованном кругу, он рванулся вперед – при этом в сердце его что-то оборвалось...

Сломленный выбором, Крот пригнулся к земле и послушно пошел по следам Рэта.
Тонюсенькие запахи еще касались его бедного носа, упрекая за бессердечную забывчивость.

И в конце концов он не выдержал.
Бху-ху-хуу!
Что с вами, старина? Что происходит?

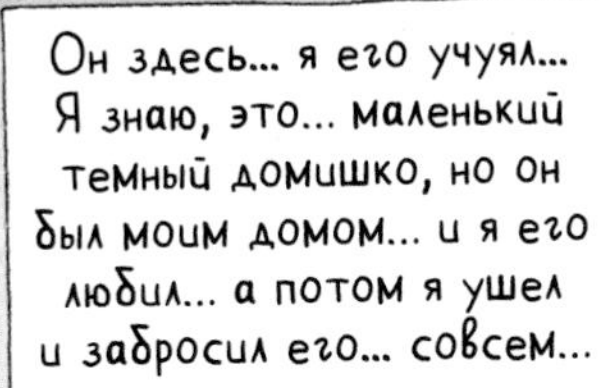
Он здесь... я его учуял... Я знаю, это... маленький темный домишко, но он был моим домом... и я его любил... а потом я ушел и забросил его... совсем...

ХЛЮП

О Рэтти... мне нужно было с ним повидаться, ведь я все время слышал его запах, и мне казалось, что сердце мое разорвется... Мы могли бы просто зайти и взглянуть на него, Рэтти, только взглянуть.. а ты даже не обернулся-а-а-а-бху-ху-ху-у-у!

А? Только и всего?
Тогда в путь!
Но... река в другой стороне... Вы куда?

Как куда? К вам.
Да?

Крот постоял минуточку, весь напрягшись, в то время как его задранный нос, слегка подрагивая, ощупывал воздух. О, то был волнующий спектакль! Сигналы шли отовсюду...
Я узнаю эту ветку!
И этот камень!
Я дома, Рэтти! Я дома!

Не тот... Не тот... Ага, кажется, этот...
Достав из цветочного горшка связку ключей, Крот дрожащими руками отпер парадную дверь.
Кротовый тупик

Рэт увидел, что они находятся во внутреннем дворике перед домом, стоя на чисто выметенной и посыпанной песочком площадке. Обстановка вся будто светилась опрятностью и уютом.
О, у вас есть машинка для стрижки газона?
Да. Не люблю, когда другие роют у меня во дворе свои норки, которые всегда заканчиваются взрыхленным холмиком...

Наконец они вошли в дом. Крот зажег лампочку, осмотрелся... и увидел пыль, которая покрывала все толстым слоем...
Кроту стало стыдно.

Стыдно за эту пыль, за то, как пусто и печально выглядит его заброшенное жилье...
Ну конечно, он ведь и ушел тогда из-за уборки.

Он бы с радостью провалился сквозь землю, да вот беда – он и так был сейчас под землей. Увы, по сравнению с домами друзей его дом имел весьма неприглядный вид.
Прелестно! Просто прелестно!

Это вы сами придумали устроить в стене коечки? Великолепно!
Какой прелестный домик! Такой компактный! Так хорошо распланирован, всё на своих местах!

Вы... вы находите? А... а пыль?
Пфф! Тоже мне, горе! Провел пару раз тряпкой, и – Фьюить! Нету!
Домик чу-десный!

Ободренный этими словами, Крот стал энергично вытирать пыль, возвращая вещам их прежний лоск; Рэт поспешил к нему присоединиться.
Вскоре с уборкой было покончено.

Да, стало гораздо лучше... И все равно я очень плохой хозяин... У меня нет ни крошечки!
Как бы не так! Смотрите, что я нашел!

САРДИНЫ В МАСЛЕ
Конечно, званым ужином это не назовешь, но в компании друга он выглядел прекраснейшим из пиров.
ТУК
ТУК
ТУК
ТУК
ТУК
Вы кого-то ждете?
Нет... Не думаю...

ТУК Тук-Тук Тук Тук
Звук идет сверху... Пойду погляжу.
Я с вами.
1, 2...
Ночь темна и холодна, с неба скрылася луна. За окном метет метель, всем давно пора в постель, Носиком в подушку – кончилась пирушка! Вкусно вы поели, славно посидели... Лишь у бедной сиротинки нет и маковой росинки, Он совсем-совсем голодный... Ветер дует злой, холодный, Он насквозь его пронзает, сиротинушка вздыхает: «У кого-то Рождество, у кого-то – ничего!»
!
?
Мы вам песенку пропели, В дом пускайте нас скорее, Мы вам радость подарили, Чтобы вы нас накормили. В ночку перед Рождеством Угостите нас овсом!
Какая прелесть! Подумать только, совсем как в старые добрые времена... Заходите, полевые мышки!
Да-да, погрейтесь у камина.
Послушай-ка, а тут какие-нибудь магазины работают в это время?
Ну конечно, сэр, работают в любой час.
Тогда мы сделаем так...
Постой... А почему именно овсом?
Другой рифмы на «Рождеством» я не придумал...
Вы скажете: почему обязательно Рождество? Можно взять что-то другое... Так я сперва и взял Пасху, но на «Пасху» вообще никакой рифмы нет.
Ну ладно. Беги.

И пока дядюшка Рэт готовил мышатам горячее питье, чтобы они поскорей согрелись, Крот пытался их развлекать.
Они и спектакли ставят! Сами сочиняют и сами после разыгрывают, у них это здорово получается! В прошлом году было отличное представление... Ну-ка, вот ты! Я помню, ты участвовал, встань и представь что-нибудь.
Давай, порадуй дядюшку Рэта.
...
Бедный мышонок аж онемел. К счастью, в то же мгновение дверь открылась и вошел его приятель с огромной корзиной.

Все разом кинулись что-то делать, подгоняемые генеральскими командами Рэта. Пустынная поверхность стола тотчас же оказалась тесно уставлена кушаньями.
Крот подумал, что у него еще никогда не было такого замечательного Сочельника, пускай по календарю до него было еще далеко.

Ножи и вилки отстучали и замолкли. Мышки разошлись по домам, пообещав обязательно вернуться через год; их карманы были набиты гостинцами для младших братиков и сестричек.

Уставшие друзья наконец-то смогли улечься.
Доброй ночи, Рэт.
Доброй ночи, Крот.
Еще «волшебством».
М-м-м? Что?
Ну... Рифмуется с «Рождеством».
Ох, Крот, Крот...

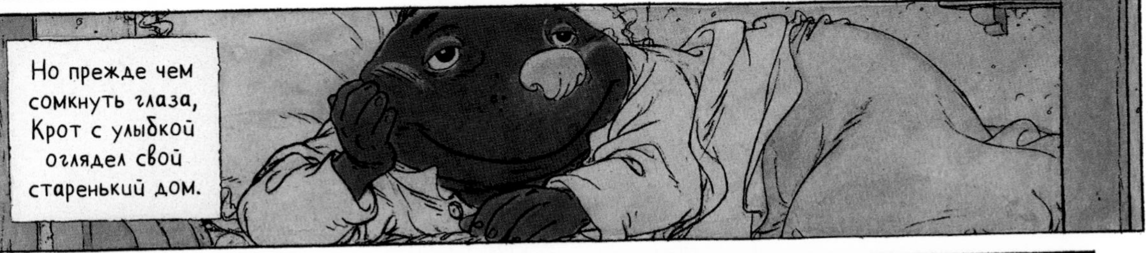

Но прежде чем сомкнуть глаза, Крот с улыбкой оглядел свой старенький дом.

Он отчетливо видел, какой это простой, обыкновенный домик, но так же отчетливо он сознавал особое значение такой вот надежной пристани в существовании каждого. Это значит, что и ему есть куда возвратиться, и что этот домик – это его домик, и что на все эти предметы, которые так ему рады, он может положиться и рассчитывать, что они всегда приветят его – радостно и душевно. Как друга.

«Как же все-таки здорово, – сказал он себе, – засыпать в давным-давно знакомой кроватке, особенно после такого трудного дня, полного удивительных впечатлений».

Еще он подумал, что, как только они вернутся на Реку, надо будет обязательно взять один из блокнотов и все это описать. А еще... Нет, больше Крот ничего не подумал. Он уснул.

6. Мистер Тоуд

Конец зимы выдался на редкость спокойным и по-хорошему скучным. Теплые деньки не заставили себя ждать, неся с собой новые звуки, новых гостей...
...и запах свежей краски.
О нет! Крот, когда же вы научитесь быть внимательным?.. Краска еще не высохла!!
Как?.. Разве?..
Да нет, все чисто.
Вашему сюртуку несказанно повезло, старина! Равно как и вашим штанам... Однако наперед смотрите, куда садитесь!
ХА! ПОПАЛИСЬ? ЧАС ПРОБИЛ!
АЙ!

О! Это вы, Барсук!
Вы о чем? Ка... какой час?
Лучше спросите, чей!
И тогда я вам отвечу: «Нашего друга Жабы!» Я же сказал, что возьмусь за него, как только зима совсем кончится!
Сомненья вон, баклажан и патиссон! В путь! Сейчас же!!!
А вы уверены, что...
Абсолютно! Если раньше выходки Тоуда касались его одного, то теперь под угрозой жизни других!.. Он имеет полное право быть сумасбродом, но сумасбродом безответственным – ни за что!
Пришли.
Наставим его на путь истинный!
По всей строгости!
Конфетки ни у кого нет?
Смотрите, он вышел на крыльцо...
Пф-ф! Что за маскарадное одеяние?
Похоже, он нас заметил!
Эгей!
Пуфф Пуф Поф Пуф ПОФ ПУФФ
БИП
Осторожно!
ПУФФ
Поф
Пуфф
Жемчужина асфальта!
Звезда битума!
О мой король автострад!

Скажите, и сколько это чудо из чудес выжимает?
Это метеор, сэр! Комета! 40 км/ч легко!
На спусках.
Хм!
Хм.
Хм...
А! Вы как раз вовремя, чтобы совершить веселенькую... весе...
...лень...
Не хотите ли прокатиться?
А?
Можете сесть за руль...
ТЦ ТЦ
Или...
Клянусь богом, мне это надоело, пармезан и моцарелла! Вы двое, ведите-ка его в дом и снимите-ка с него эти нелепые тряпки!!
Нет! Я буду кричать!
Ой.
Кстати... Мистер Тоуд передумал, автомобиль ему не подходит. Он решил, что предпочитает велосипед.
Вы свободны.
Пустите! Что за насилие? Нет, только не жакет! О-о, моя Фуражка!!
А теперь к делу. Ну, где наша «гроза дорог»?
Аргл...
В отсутствие шоферских доспехов хвастливой самоуверенности Жабы порядком поубавилось...

Иди же ко мне, старина! Ты хороший парень, и я сделаю еще одну попытку заставить тебя образумиться.
Ай.
Прошу в курилку...
О, да у них там жарко!
А толку? Разговорами его не вылечишь.
Тс-с! Тихо! Я и так ничего не слышу...
Пф-ф!
Ага, вот так лучше... Чувствую, мистер Тоуд готов сгореть со стыда, я слышу его глубокие всхлипывания...
?
Хм.
Друзья, я счастлив вас известить, что Тоуд осознал ошибочность своего поведения. Он искренне раскаивается и обещает навсегда расстаться с автомобилем. Он дал мне честное слово.
Я...

Я мог бы сказать что угодно — там, наедине. Ты так красноречив, что можешь вить из меня веревки. Но я все обдумал и нисколечко не сожалею и не раскаиваюсь!

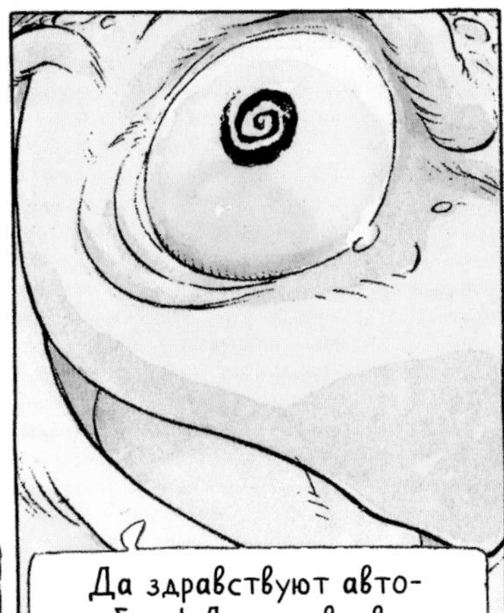
Да здравствуют автомобили! Да здравствует скорость! Да здравствуют километры! Врррум! Бип-бип!

Довольно! Тащите его наверх и заприте в спальне, пока мы тут обо всем договоримся!!
Запереть? Меня? Мистера Тоуда?
Ха-ха-ха! Би-би-бип! Пуф-пуф!

Покой, вот что нужно для нашего храбреца, томат и пол-огурца!
Бип!
Бип!
Бип!
Тоуди, веди себя достойно!
Поймите, это все для вашей же пользы!
Хватит этих историй с полицией!
И расходов на бесконечный ремонт!
Не говоря уж про больницы и санитаров!
Возьмешь на себя труд образумиться – выпустим!
ХЛОП!
КЛИЦ КЛИЦ
О нет...
Только не санитары...
Если честно, я его понимаю... Нет, водитель он, конечно, ужасный, ему не помешает взять пару уроков...
Мягко говоря!
Но ведь автомобиль и правда позволяет перемещаться куда быстрее. И сил меньше тратишь!
Вот именно! Как только этих машин станет много, люди захватят все лучшие уголки! Они понастроят дорог, чтобы туда добраться, и огромных зданий, чтобы там жить, уничтожив то, к чему сами же и стремились...
...возможность созерцать мир.
Одним словом, пустят всё под откос!!

И потом, машины надо где-то держать. Рано или поздно они захватят тротуары, газоны, парки... Дети больше не смогут играть на улице! Пешеходы исчезнут, ибо всем будет управлять скорость.

А поскольку бо́льшую часть времени люди будут проводить в этих передвижных клетках, они потеряют привычку общаться и постепенно друг друга возненавидят.

О да, люди горазды на гениальные изобретения, но они почему-то всегда используют их во вред – себе и другим. То есть нам! И меняться они не намерены....
Б-р-р-р... По-моему, он преувеличивает...

Друзья составили расписание дежурств, чтобы ни на секунду не оставлять Тоуда без присмотра.
Ну как? Ему лучше?
Я бы не сказал... Бибикает даже больше.

А после «би-бип» начинается «вррум», а там и до «врро-арр» недалеко!
?

Он устанавливает кресло так, чтобы было похоже на сиденье шофера, смотрит прямо перед собой и подражает автомобилю. А когда приступ достигает своей вершины, валится кувырком и лежит!

БАММ
БАДАБУМ
ДЗАН!
АААААААААА
Ну вот. Видите?
Почему-то он напоминает мне кролика...

Со временем приступы становились реже, а Тоуд – все более вялым и подавленным...
Ну, как мы себя чувствуем, старина?

А?
...Спасибо, Рэтти! Как мило, что ты спрашиваешь об этом, хоть я того и не стою... Кхе-кхе... Но сперва скажи: как вы – ты сам и наш любезнейший Крот?

О, мы-то в порядке. Крот собирается пройтись вместе с Барсуком, так что мы с тобой проведем это приятное утро вдвоем.

Как жаль, что они ушли... Я бы попросил привести ко мне доктора, да побыстрее...
Кого?

Хотя нет... Лучше сразу нотариуса... И пастора...
Пастора?
Кхе.

Тут Рэт разволновался всерьез. Церковников Тоуд, мягко говоря, недолюбливал... Подумав, он решил сбегать за доктором.
Сегодня он и впрямь не такой какой-то... И звуки какие-то не такие...
чу-чу-чух кррр

«Хоть я того и не стою...» На него это не похоже! Да, дело плохо!

Ха! Еще не родился тот, кто остановит неудержимого Тоуда!

Хе, хе!
Он стремительно натянул на себя лучший костюм и набил карманы деньгами, которые достал из ящика туалетного стола...

Перед вами ВЕЛИКИЙ ТОУД, король побегов! Гудини среди амфибий!
Тадам!
...и все такое прочее.

Жаба и не догадывался, как много воды, и при этом довольно мутной, утечет, прежде чем он вернется в Тоуд-Холл...

бип бип

Веселый и беззаботный, он был уже далеко. Вначале он пробирался тропами, пересек не одно поле и несколько раз менял направление, опасаясь погони.
Привет
Привет

тьфу

Ха-ха! Ловко обделано дельце! Мозг против грубой силы – и мозг вышел победителем, как и должно быть.
нюх?
...также принесите мне этот вкуснейший гратен дофинуа, кусочек фаршированного рулета, порцию тушеной говядины – только соуса не жалейте, – парочку ромовых баб и шоколадный пирог. Пожалуй, хватит, в дороге я много не ем... Ах да, чуть не забыл... Еще изрядный ку...
БИП
БИП
БИП
БИП
БИП
?
шорх
шорх

Трактир! Очень кстати, герой хочет есть!

Автомобилисты! А где автомобилисты...
...там и АВТОМОБИЛЬ!
Еще и красного цвета, его любимого.
Эй! Принесите нам что угодно, но чтобы вкусно пахло! Мы сыты по горло деревенскими ароматами!
Эти коровы жутко воняют! Селяне должны мыть их душистым мылом!!
И не выпускать из хлева!
М-м-м... этот неповторимый букет, тончайшая композиция ноток бензина, машинного масла и горячей резины...
Разве он мог отказать себе в удовольствии вдохнуть этот запах? Сам того не заметив, он оказался на водительском месте...
Ириве-ет.
А у тебя красивые шины...
Хе, хе.
Хи, хи.
У вас красивый автомобиль!
Да, и быстрый! Вся прическа насмарку...
А мотор? Не мотор, а чудо! Самый тихий на рынке!..
ПОФ
ПУФ
ПУФ
ПУФФ
ПуФ
ПуФФ
Моя машина!
Мой обед!
Ваша шляпа!
чучух
ПУФФ
чучух
ПуФФ

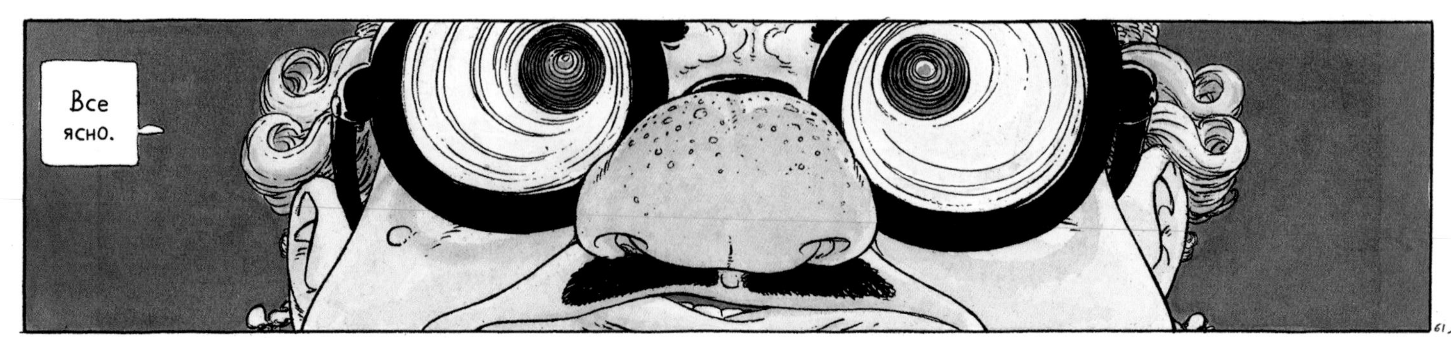
Все ясно.

Итак, господа, дело решенное.
Благодаря неоспоримым свидетельским показаниям мы признаём подсудимого виновным по всем статьям.
Уважаемый Секретарь, какое самое суровое наказание мы можем дать этому головорезу за каждое из означенных преступлений?
Секретарь?
Кхм, кхм.
Изучив обстоятельства совершённых обвиняемым преступлений и исходя из всестороннего анализа мер пресечения, предусмотренных Уголовным кодексом, а именно статьями 15, 91, 135 и 228, параграфы Е, З и Т, мы пришли к следующему заключению:
За неоплату обеда, квалифицируемую как мошенничество, подсудимому полагается лишение свободы на срок... ну, скажем, шесть месяцев.
Пожизненное ему!
Один рулет чего стоил!
За кражу автомобиля, отягощенную попыткой бегства и лихорадочной подачей звуковых сигналов... 12 месяцев, и это вполне снисходительно.
Хи Хи
Хе Хе
За рискованное вождение и создание аварийной ситуации... два с половиной года, и это достаточно мягко.
клац!
тап тап
Успокойтесь, все хорошо...
Но вот дерзить полиции совершенно недозволительно и заслуживает самого сурового наказания. Пятнадцать лет, ибо из всех совершённых обвиняемым преступлений это, безусловно, наиболее тяжкое.

Эти числа в сумме дают… так-так-так… девятнадцать лет.
Отлично. Округлим до двадцати, для удобства.

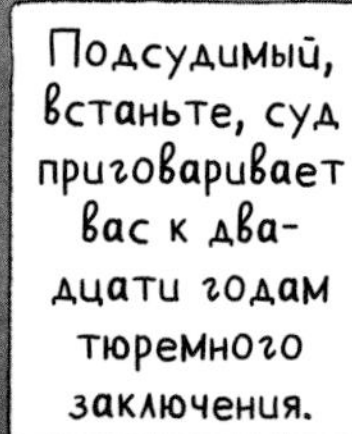

Подсудимый, встаньте, суд приговаривает вас к двадцати годам тюремного заключения.

И помните, в следующий раз мы не будем так снисходительны!
БАМ
БАМ
БАМ

Перед Тоудом будто разверзлась пропасть…

Услышав приговор, он едва не потерял дар речи.

20 лет без любимого крокета с друзьями. 20 лет без полуденных завтраков. 20 лет без сигар и вечернего бренди…

20 лет без чудес. 20 лет без причуд. 20 лет без жизни…

Как же Земля будет вертеться одна, без него?

Когда огромная дверь защелкнулась и Тоуд оказался заточённым в самом дальнем каземате самой крепкой крепости, другой такой не найдешь, он сказал себе: да, вот теперь и правда все кончено.

7. Свирель у порога зари

Часы показывали десять вечера, но небо оставалось по-летнему ясным... «Похоже на начало романа», – подумал Крот...
Было еще слишком жарко и душно, чтобы сидеть в помещении, поэтому он растянулся на бережке, тяжело дыша от ударов яростного дня, который был безоблачным от рассвета до заката. Денек и правда выдался на редкость знойным – угнетающим, изнуряющим, тяжким...
Здесь, в тени старой ивы, Крот ждал, когда над ним проплывут спасительные облака, и слушал жужжание насекомых.
Оно не умолкало ни на секунду.
Как же они не устают в такую погоду? Крот задумался...
Найти ответ на этот экзистенциальный вопрос он не успел: рядом послышались легкие шаги по выжженной солнцем траве. Крот аж подпрыгнул.
ШРРРХХ!

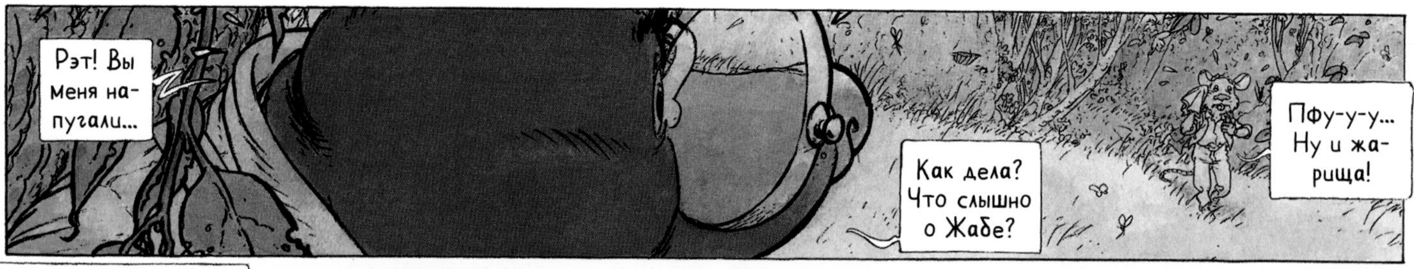

Рэт! Вы меня напугали...
Как дела? Что слышно о Жабе?
Пфу-у-у... Ну и жарища!

Не то слово!.. Я даже блокнот раскрыть был не в силах!

Выдра навел справки, говорит, пока ничего нельзя сделать...

20 лет... Многовато! Особенно для амфибии.
Ну... в тюрьме хоть прохладно.
Идемте-ка лучше в беседку: дом еще не успел остыть, там очень душно.

Полагаю, Выдра вас накормил?
Они даже слышать не хотели, чтобы я ушел без ужина. Вы ведь знаете, как они хлебосольны!!

Само собой, обед был просто великолепен. Но мне было видно, как им тяжело, хотя они всячески пытались это скрыть... Потом Выдра вызвался меня проводить, сославшись на то, что прогулки, мол, облегчают пищеварение. Но стоило нам выйти, как он начал вертеть головой в разные стороны.

А!

Наверное, ждал кого-то?
УЙ И!
Почти. Крот, боюсь, их младший опять сбежал.
И на это раз всё гораздо серьезнее: его нет уже несколько дней...

Выдра очень встревожен, хоть и не подает виду. Его беспокоит плотина, там сильный водосброс... И, конечно, капканы.
Боже правый!
Ну что ж... Время позднее, пора и на боковую.
Вы правы. Мы не можем сидеть вот так, сложа руки. Пойду выведу лодку.
Именно это я и хотел сказать!
Тьфу.
66-

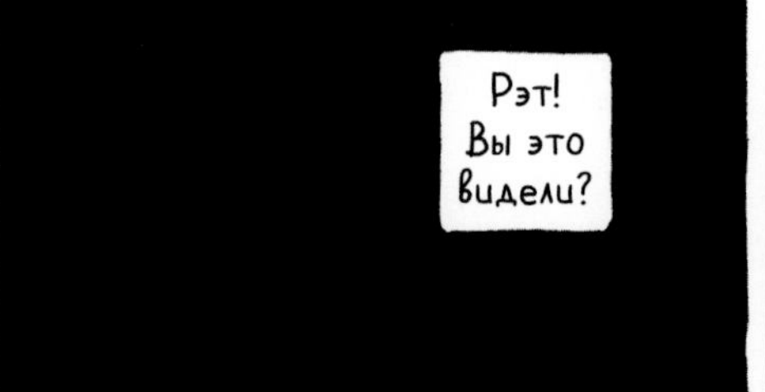
Рэт! Вы это видели?

Что?
Нет, ничего... Показалось.

Безлунная, темная и пустая ночь была полна неясных звуков, чьих-то песен, бесед, шорохов, говоривших о том, что мелкое население бодрствует, поглощенное своими занятиями... Будто все ночные чудовища из-под наших кроватей разом переселились сюда.

Плюх!

Рэт! Вы это слышали?
Это рыба, Крот, просто рыба.

Точно? Я хочу сказать, точно-точно?
Э-э-э... Надеюсь... Но теперь, после ваших слов, я не исключаю, что это гигантский крокодил.

Наконец над краем земли поднялась луна, и все вокруг избавилось от таинственности и страха...

Вдобавок она была полной – не иначе как для того, чтобы помочь нашим друзьям в их поисках.
Уф! Давно пора! То ли дело!
Крот!..

Горизонт разом прояснился. Друзья поспешили этим воспользоваться: они сошли на берег и терпеливо обыскали заросли кустарника, дуплистые деревья, ручьи, овражки. Все тщетно.
Ух-у!
Значит, вы ничего не слышали?..
Ух-у!
Ух-у!
Разумеется! Если б я знал, я бы не спрашивал.
Они здесь что, все оглохли?
?
Ква!
Луна, спокойная и далекая в безоблачном небе, изо всех сил старалась светить поярче, но, как только настал ее час, она нехотя спустилась к земле, и таинственность снова окутала реку и землю.
Слышите?
Нет... Ничего, абсолютно...
Вот именно. Наступил тот самый миг, когда ночные звери отправились спать, а дневные еще не встали.
Это особенный, драгоценный миг, когда время будто зависает меж двух миров.
Синий час...
Тс-с! Тихо.
Все и впрямь умолкло как по волшебству, даже вода, казалось, перестала журчать. Даже их собственное дыхание вдруг стало беззвучным.
Но – тс-с! Давайте и мы послушаем эту тишину.
Да-да, тс-с!

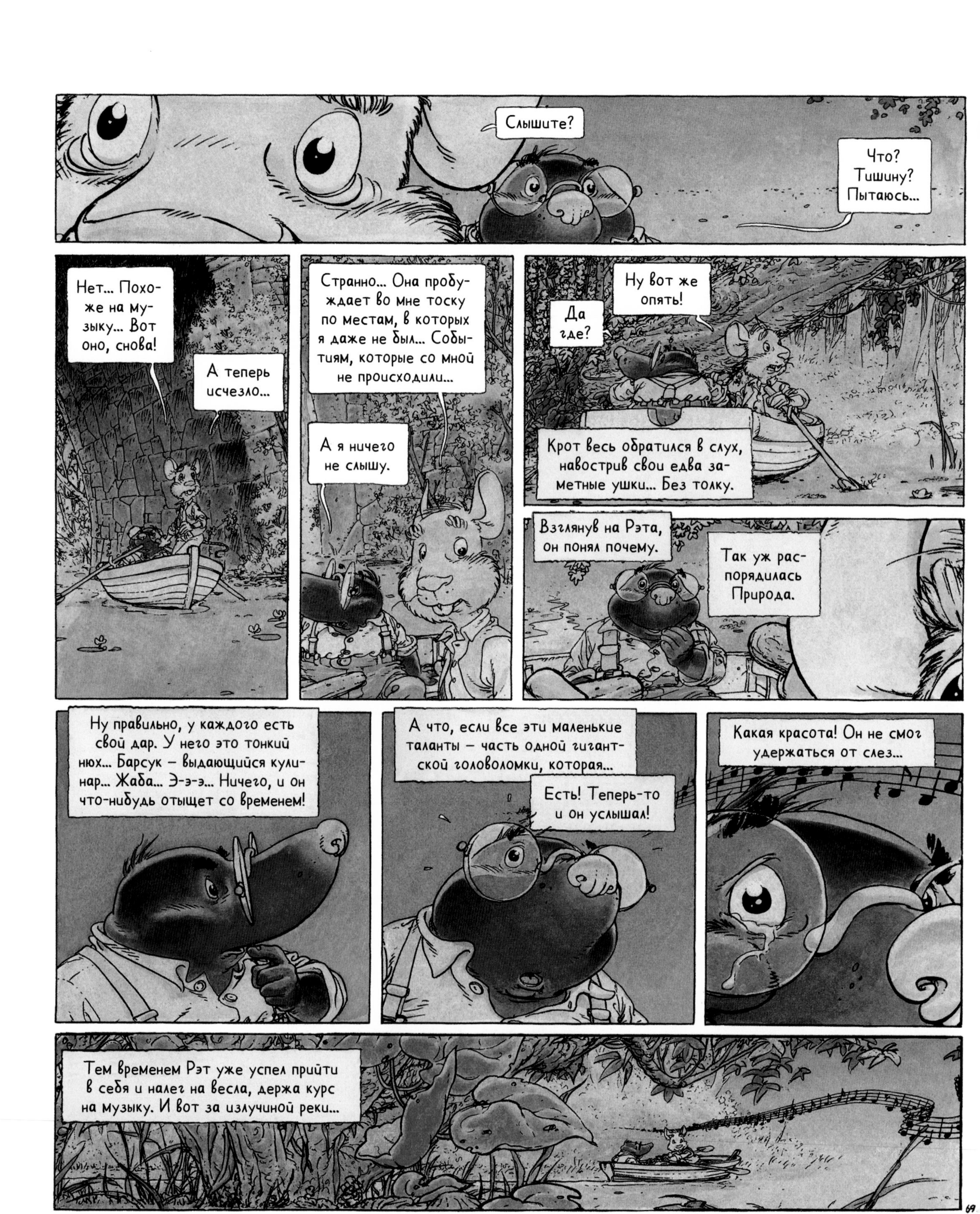
Слышите?
Что? Тишину? Пытаюсь...
Нет... Похоже на музыку... Вот оно, снова!
А теперь исчезло...
Странно... Она пробуждает во мне тоску по местам, в которых я даже не был... Событиям, которые со мной не происходили...
А я ничего не слышу.
Ну вот же опять!
Да где?
Крот весь обратился в слух, навострив свои едва заметные ушки... Без толку.
Взглянув на Рэта, он понял почему.
Так уж распорядилась Природа.
Ну правильно, у каждого есть свой дар. У него это тонкий нюх... Барсук – выдающийся кулинар... Жаба... Э-э-э... Ничего, и он что-нибудь отыщет со временем!
А что, если все эти маленькие таланты – часть одной гигантской головоломки, которая...
Есть! Теперь-то и он услышал!
Какая красота! Он не смог удержаться от слез...
Тем временем Рэт уже успел прийти в себя и налег на весла, держа курс на музыку. И вот за излучиной реки...
69

В самой середине потока бросил якорь малюсенький островок, окаймленный густой зарослью ивняка. Что-то неотвратимо влекло их прямо туда.

Медленно, но нисколечко не раздумывая они причалили к самой кромочке острова, покрытой цветами, и молча сошли на берег.

Так же уверенно они стали пробираться через цветущие, душистые травы и кустарник, туда, где земля была ровной, пока наконец не добрались до маленькой полянки, зеленой-зеленой, на которой самой Природой был разбит сад.

Музыка уже стихла. Крот остановился как вкопанный. Это не был страх, нет, Крот был совершенно спокоен и счастлив. Просто он почувствовал, что где-то здесь, близко-близко, находится тот, который играл. Кто-то, могущественный и справедливый, кого он никогда больше не увидит.

И тогда Крот медленно и смиренно поднял глаза.

...Затаив дыхание, он смотрел в глаза Друга. По его спине пробежала дрожь.

Вы... вы
не боитесь?
Боюсь? Его?
Да нет
же, нет!
И все-таки...
Первый луч солнца
плеснул светом,
едва их не ослепив.
А когда они снова
подняли веки, видение
исчезло, и воздух напол-
нился птичьими гимнами,
славящими зарю...
Друзья еще долго глядели вокруг себя
пустым взглядом, погружаясь в печаль
от того, что они только что видели... и тут
же утратили. Время вернулось в свою колею.
Капризный ветерок, танцуя, поднялся
с поверхности воды, растрепал осины...
...тряхнул покрытые росой розы
и лилии, после чего...
...ласково дунул нашим друзьям в лицо,
послав им прощальный дар Друга: забвение.
Ибо знание – источник силы,
а забвение – родник невинности.
...
Э-э-э... Так на чем
я остановился?
...м-м-м...
А! «Да
оставьте
вы в по-
кое эту
лягушку!»
?!
72

Они стояли в растерянности. Их память еще хранила ускользающее послевкусие чего-то поистине необыкновенного, но чего именно, они уже позабыли...
Может, оно и к добру. Есть воспоминания, которым лучше не укореняться и не разрастаться в душе, чтобы не затмевать радостей дальнейшей жизни, чтобы каждый оставался счастливым и беззаботным, как прежде.
?
Ого! Это что же за зверь здесь прошел?
И куда он мог деться, остров-то совсем маленький...
Зверь?? Где зверь? Где??
Там! Что-то шевельнулось, я видел!
Где?
Да вон же!
Нет, это совсем кроха, а следы вон какие огромные...
Младший!..
Ах ты, сорванец! Ну ты нас всех и перепугал!
А мне было не страшно!
Удивительно, я никогда его раньше не видел, но сразу узнал!
Крот в последний раз обернулся и еще минуточку постоял неподвижно. Как тот, кого вдруг разбудили от хорошего сна, старается удержать его и не может ничего вспомнить, и не может вызвать в памяти ничего, кроме чувства красоты.
Приблизившись к знакомому броду, Крот подвел лодку к берегу; они подняли малыша и высадили на берег, после чего тихонечко удалились.
Ах вот ты где!!
Ты о своей бедной матери хоть подумал?

Не знаю, что и сказать... Я чувствую какое-то странное утомление, Рэт... будто мы испытали нечто удивительное и даже страшное, а вместе с тем ничего не случилось.
У меня то же самое ощущение...
А-а-а-а... Как тихо...
Вы слышите ветер в ивах? Это как музыка... Как песня...
А слова такие:
«Чтобы светлая, чистая радость твоя Не могла твоей мукою стать. Что увидит твой глаз в помогающий час, про то ты забудешь опять. Я целитель, я помощь, я друг, вам не надо заблудших искать. Отыщу, исцелю, обсушу, накормлю, но прошу вас: забудьте опять!»
Самая настоящая песня!.. Рэт, вы это слышали?
А, Рэт?

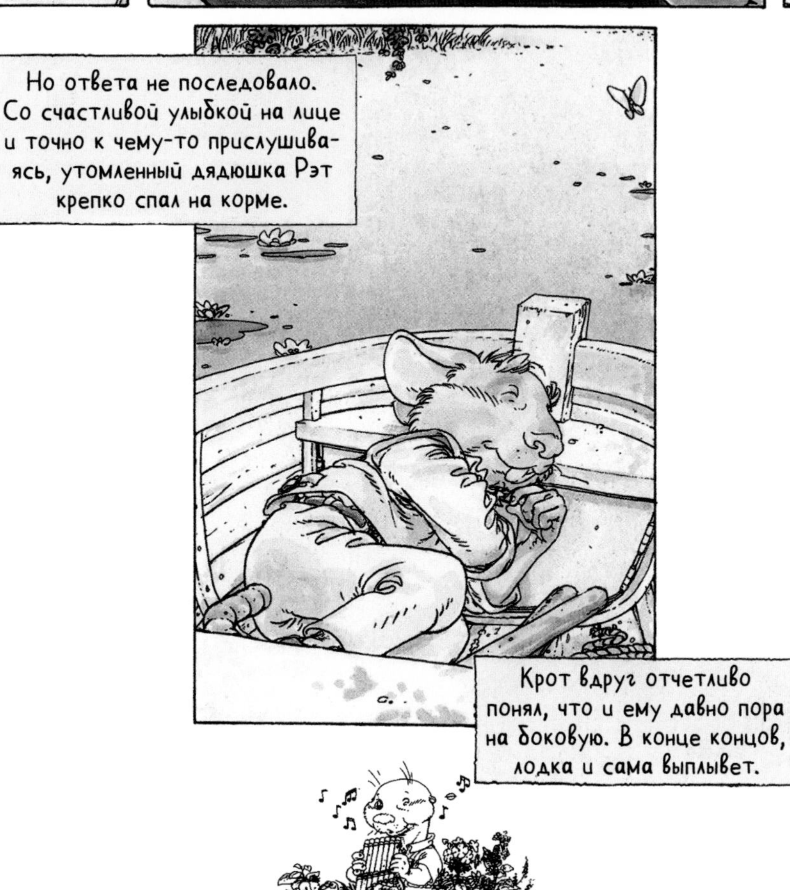
Но ответа не последовало. Со счастливой улыбкой на лице и точно к чему-то прислушиваясь, утомленный дядюшка Рэт крепко спал на корме.
Крот вдруг отчетливо понял, что и ему давно пора на боковую. В конце концов, лодка и сама выплывет.

8. Приключения мистера Тоуда

Вот сколько времени он еще проведет в этой сырой темнице...
О, как он жалел о том, что угнал эту прекрасную машину и надерзил стольким толстым краснолицым полицейским!
Ух ты!
Эй! Соланж, подожди меня...
Всхлюп!
Однако нельзя не признать, что угон был совершен с подлинным блеском, а скрупулезный подбор ругательств свидетельствовал о живом уме и хорошем образовании.
Со-ланж!
АЙ!
Хе, хе.
Когда он отсюда выйдет, он будет старой развалиной, не способной ни на какие причуды. Бридж с друзьями, вот его скорбный удел...
Да что с тобой? Это всего лишь жаба...
Прости, Симона, у меня фобия, я жутко боюсь амфибий...
Хотя позвольте! К тому времени они даже имя его забудут... Нет, он окончит свои дни в одиночестве, отвергнутый всеми. В лохмотьях. В канаве...
Бх...
Бху..
БХУ-ХУ-ХУ!
Тебе пора к психотерапевту...
У тюремщика была дочка, добросердечная девушка, которая помогала отцу во время его дежурств. Особенно она любила животных: у нее жили канарейка, несколько пестреньких мышек и белка. Ей было от души жаль несчастного мистера Тоуда...
БХУУХУУУУУУУУУ
О боже! Это невыносимо! Надо что-то делать, скорей!..
Ухаживать за чокнутой жабой?
На здоровье, только это напрасный труд! Я сто раз ему намекал, что для утешения и ободрения можно кое-что организовать... за определенную мзду. Пустое! Мистер Толстосум ноль внимания!
Чо-окнутой! Чо-оокнутой!
Чо-о... Чокнутой!
По-моему, он...
Хррр
Это недопу...
КРРА
...с приветом.

Стоило ей войти, как все-проникающий запах горячей, только с плиты, еды наполнил тесное подземелье.

Ноздри мистера Тоуда тут же различили бергамотовый чай, печеные яблоки и румяные тосты с маслом.

Все ясно! Она хочет соблазнить его самым верным способом – через желудок! О, коварные женщины...

Дудки! Несгибаемый Тоуд никому не позволит себя утешить!

Дешевый трюк! Ни одна уважающая себя амфибия не купится на столь неуклюжий маневр!
пш
пшшш
пш

НЯМ
БУЛЬК
НЯМ
ХРРУМ
БУЛЬК
ЧАВК
ХРУСТЬ
ХРУСТЬ
НЯМ

Хи-хи!
Я знала, что вы не такой суровый, как кажетесь...
До завтра?

С того дня заточение Жабы скрашивалось множеством милых бесед.
Расскажите мне о себе...
Дорогуша, лишь моя легендарная скромность не позволяет мне заявить, сколь выдающейся личностью является ваш покорный слуга!..

Понемногу она начала понимать, что это несчастное маленькое создание, скорее жалкое, чем опасное...
Расскажите о вашем доме...

О, это очень подходящая резиденция для джентльмена, там есть абсолютно все необходимое, это уникальное имение, оно частично восходит к шестнадцатому веку, но снабжено всеми современными удобствами. Плюс лодочный сарай, пруд, где водятся караси, конюшни, роскошный тенистый парк и персональный выход к реке! Пять минут ходьбы от...

Да будет вам!.. Я же не собираюсь его у вас покупать! Ха-ха-ха!
Хехе...

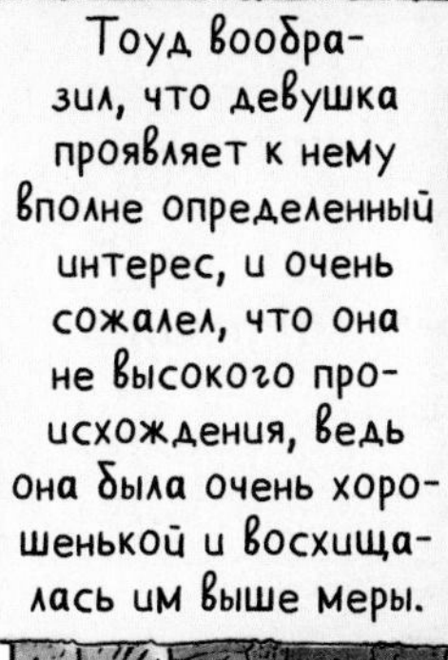
Тоуд вообразил, что девушка проявляет к нему вполне определенный интерес, и очень сожалел, что она не высокого происхождения, ведь она была очень хорошенькой и восхищалась им выше меры.
И то правда: мистер Тоуд, потомственный аристократ, и дочь тюремщика...

Однажды она пришла к нему непривычно задумчивая...
Я... м-м-м...
Я должна вам что-то сказать... У меня есть тетка. Она работает прачкой.

Не огорчайтесь... У меня есть несколько теток, которые заслуживают быть прачками...
???
шлёп шлёп

Вы можете хоть минуточку помолчать? Речь идет о вашем побеге!..

В двух словах она описала ему свой план.
Я, Тоуд? В юбке?
Ни за что.
Но это единственный шанс!
Я сейчас вернусь...
Вот.
Позвольте представить вам мою тетушку...
Хи-хи!
Что-о?.. И речи быть не может!!!
Начать с того, что у нас не совпадают размеры.
Хо!
Хе-хе!
И потом, я гораздо стройнее!
Тетушка думает точно так же.
Ха!
В смысле, что она гораздо стройнее.
А?
Но Тоуд уже понял, что другого выхода нет. Как и подобает благородному джентльмену, он не скупясь заплатил за услугу.
Грмбл!
Пфф.
Хм?
Грр!
Осталось облачиться в платье из ситчика, передник, шаль и поношенный чепец. И разумеется, связать тетушку.
Так нормально? Не жмет?
Ну, за эти деньги...
Я же говорил, я гораздо стройнее! Меня в один миг раскусят...
Тоуд предложил оставить тетушке пару синяков для правдоподобия.
Лучше не теряйте времени! Бегите!
Мм! Мм!
А зря, я в этом эксперт! Знакомые из полиции могут подтвердить...

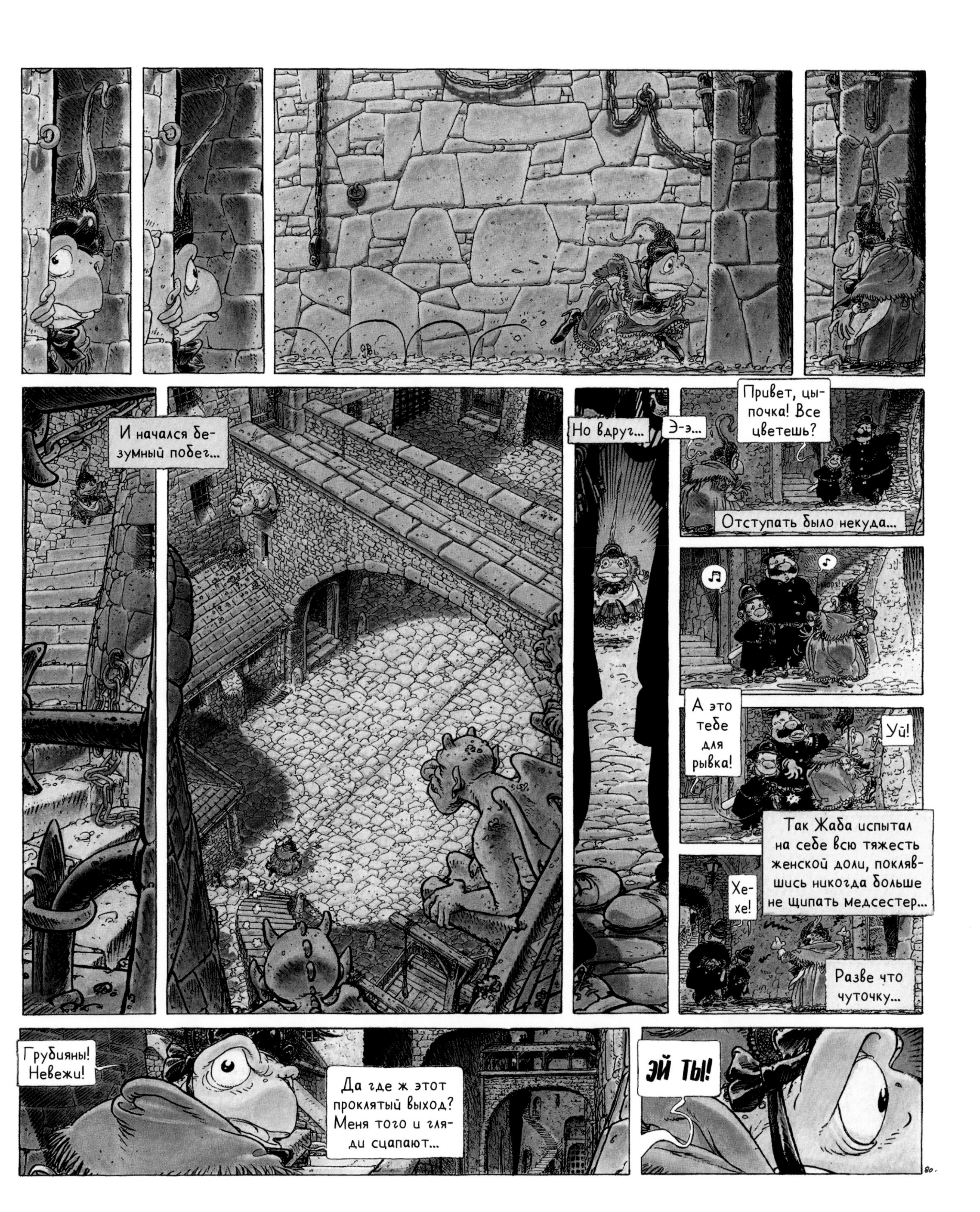

И начался безумный побег...
Но вдруг...
Э-э...
Привет, цыпочка! Все цветешь?
Отступать было некуда...
А это тебе для рывка!
Уй!
Так Жаба испытал на себе всю тяжесть женской доли, поклявшись никогда больше не щипать медсестер...
Хе-хе!
Разве что чуточку...
Грубияны! Невежи!
Да где ж этот проклятый выход? Меня того и гляди сцапают...
ЭЙ ТЫ!

?!
Да-да, ты!
Проходи быстрее, мне закрывать пора!
Тьфу!

О-х-х-х... Опять чай остынет!..

Дневной свет...
Тоуд успел подзабыть, что это такое...

Свобода?

СВОБОДА!
СВОБОДА!
СВОБОДА!
СВОБОДА!
СВОБОДА!
И вновь гениальный Тоуд одержал блестящую победу над обстоятельствами.

ТУУУТт

Уф! Это всего лишь поезд!

Поезд? Так, так...

Да!

ВОКЗАЛ
Вокзал...
В данную минуту это было для него самое нужное место на свете.

ОТПРАВЛЕНИЕ
Изучив расписание, Тоуд выяснил, что скоро и правда ожидается поезд. Удача улыбается гениям!

Оставалось купить билет. Ничего, время есть!

?
!!

Впрочем... Как посмотреть!..

Отойдите!
Это мое место, я первый пришел!
Со свойственными ему выдержкой и терпением Жаба тихонько пристроился в очередь.
Ну скоро там, я не понимаю?
Мы что, здесь, Рождество встречать будем?
И бла-бла-бла, и бла-бла-бла...
О-ля-ля!
Эй, может, хватит толкаться, а?!!
Требую уважения к старой даме!
Следующий!
Э-э... Простите... Пожалуйста, один на 18:57...
С вас 5.73, бабуля.
Деньги! Тоуд с ужасом вспомнил, что и пиджак, и жилет он оставил в темнице, а вместе с ними и записную книжку, бумажник, ключи, часы, спички, пенальчик с карандашами – все то, что придает смысл жизни и отличает зверя со множеством карманов от тех, которые имеют только один или не имеют вовсе. Проклятье! Он чувствовал себя... как бы это... раздавленным!
Гх
Послушайте, вы будете смеяться, но...
Дайте угадаю: вас ограбили пингвин и белый медведь, угрожая водяным пистолетом.
В любом случае ваш поезд уже ушел.
Следующий!
В полнейшем отчаянии, ничего не видя перед собой, побрел он вдоль платформы...
Колесо судьбы вновь сделало оборот. Скоро его побег обнаружится, и будет выслана погоня, и его поймают, и закуют в цепи, и потащат снова в темницу, и посадят на хлеб и воду, и удвоят охрану, и удвоят срок!
Хуже другое... Но об этом он и думать не смел.

Эй, матушка! Что случилось? Вид у вас не ахти...
?!!
Не сыграть на столь искреннем участии было решительно невозможно...
Я могу вам помочь?
О сэр, о мой бедный сэр!
Я упустила последний поезд...
Плохо дело. Плохо...
Что теперь будет с моими детками, с моими ненаглядными?!.
Хлюп
Они все останутся голодными, и начнут баловаться со спичками, и поопрокидывают керосиновые лампы, бедные, невинные крошки! После смерти их бедного отца за ними и присмотреть некому...
Не надо... Это так грустно...

Разве можно бросить в беде столь милую даму... Поднимайтесь, я вас довезу.
Спасибо, но у меня нет денег...
Ничего...
Мы это уладим.

Как это, должно быть, волнительно – управлять локомотивом!
Определенно стоит попробовать!
Зажмурившись, Тоуд вдыхал пьянящий воздух свободы...
Апчхи!
Он чувствовал, как с каждой минутой к нему приближаются родные пенаты, и добрые друзья, и похвалы, и восторги.

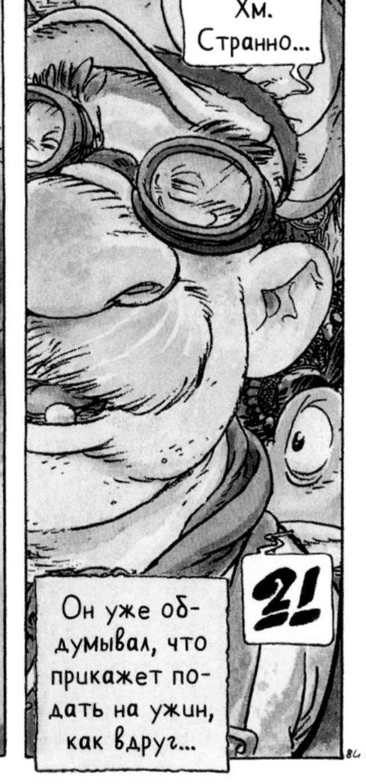
Хм. Странно...
?!
Он уже обдумывал, что прикажет подать на ужин, как вдруг...

За нами мчится какой-то поезд, хотя в эту сторону мы сегодня последние...
Полиция! Он пропал!
Сжальтесь! Я вам солгал.
Я вовсе не прачка, я – опасный злодей! Благодаря моим уму и отваге мне удалось бежать из отвратительной темницы, куда меня швырнули враги!..
?
У каждого свои недостатки.
О мой добрый сэр! Если б вы знали, что мне довелось пережить!
От них даже апельсинового джема не дождешься на завтрак, вы представляете?
И что же вы натворили?
Да так, чепуха... Я просто одолжил автомобиль у хозяев, которым он в тот момент не был нужен, потому что они завтракали... Но эти чиновники слишком поспешны с выводами!
М-да. Однако я на рабочем месте, и я терпеть не могу, когда мной командуют.
Особенно полицейские.
Набейте топку углем, попробуем оторваться!
Слушаюсь, генерал.
Началась беспощадная гонка.
Ого!
Да у нас сегодня целое представление!
Увы, тяжелые вагоны не оставляли им ни малейшего шанса.
Бесполезно! Они догоняют!
Прости, но я не вижу другого выхода.
ЭЙ!
ЧТО ВЫ ДЕЛАЕТЕ?!!

Дождавшись поворота, спасающего от взглядов преследователей, Тоуд с невероятной грацией и изяществом полетел вниз.
Ай.
Ну же, бегите! Удачи!
Каков талант.
Говорят, правосудие слепо. Судя по всему, его слуги тоже.
Хе-хе!
Осталось всего ничего: пересечь темный холодный лес.
За ним – Река, которая выведет к дому.
Быть может...

9. Дальнейшие приключения мистера Тоуда

Какой жуткий кошмар... И холод... Я весь затек...
Брр...
Ай...
КРАК!

Выдержать. Еще один день. Как тяжело...
Уй-и.

И тут он всё-всё вспомнил.
Свое помутнение, приговор, тюрьму, побег, погоню... Всё.

Свобода!
Само это слово, сама эта мысль грела его лучше пятидесяти одеял.

Все вчерашние страхи и тревоги рассеялись. Он чувствовал себя неуязвимым.
Мир принадлежал только ему.

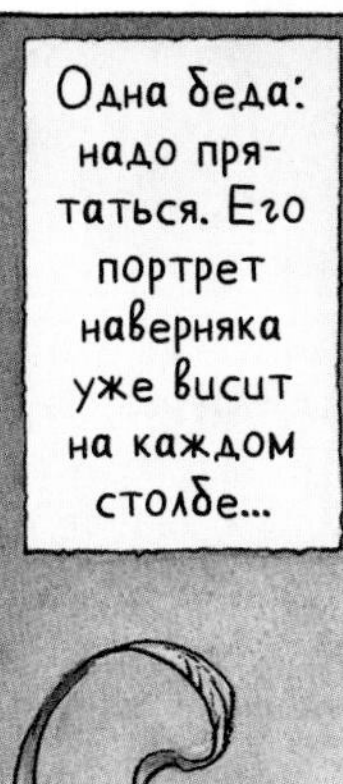
Одна беда: надо прятаться. Его портрет наверняка уже висит на каждом столбе...

Но, с другой стороны... Что это, если не слава? И за нее тоже надо платить.

Погруженный в осмысление своей стремительно растущей популярности в комиссариатах, бедный Тоуд брел, куда выведет дорога... Она вывела его на берег канала.
Тогда он терпеливо зашагал вдоль него, справедливо полагая, что канал, несомненно, должен идти откуда-то и приходить куда-то.

88

Привет! Хороший денек, верно?
Это смотря кому...
Х-ха!
Здоровьичка водникам!
Хмпф.
А вы не к Реке идете?
Мож, да...
Слыхали про Тоуд-Холл?
А то ж...
Видите ли, хозяин поместья... исключительный персонаж, сливки местной аристократии... упросил меня заняться стиркой его белья, вещей исторической ценности...
Вы меня не подбросите?
А?
Уо-о-о
Лезьте.
Хотите, я вам помогу править?
Боюсь, для столь деликатной дамы это тяжеловато.
Так вы, значит, прачка?
Лучшая во всем графстве! Постирать, накрахмалить, погладить – вот смысл моей жизни!
Мой путь!
У меня 26 служащих... или 35. Я уж и не помню...
А я одна на все руки. Мой благоверный, ему лишь бы увильнуть от работы... Пошел, видите ли, погулять с собачкой! Ага, знаю я их!
Эта моська хуже его самого!
Так вот, о стирке.... Мы, женщины, должны помогать друг другу... Там, в кабине, вы найдете кучу белья... И корыто!
Тема разговора окончательно перестала нравиться Тоуду.
?!!
...!
Вот... Развлекайтесь.

«Да здравствует мыло душистое...»
Спрашивается, какой болван мог это написать?
Он пробовал убедить вещи сделаться чище, но они и не думали подчиняться.
Мыло, может быть, и душистое, но не для моих нежных рук!!
Прошло длинных полчаса, и каждая наступающая минута приносила мистеру Тоуду все большее раздражение.
ХаХаХаха!
Я так и думала! Вы такая же прачка, как я – оперная дива!
Ты права! Я никакая не прачка! Я – мистер Тоуд, прославленный, выдающийся похититель автомобилей!..
Я величайший, я сногсшибательный, я самый...
Мерзкий!
Ты – жаба, отвратительная, гнусная жаба!!!
Мэм!
Ну, погоди!

А ну-ка, вон с моей баржи!!
Но, мэм...
Она не выносила животных. Особенно таких – зеленых, прыгающих, пучеглазых.

Мир вдруг перевернулся, в ушах засвистел ветер, и Тоуд понял, что он летит...
...к тому же быстро вращаясь в воздухе...

Потом все стало синим. Тугим. Холодным, но не настолько, чтобы погасить гнев. Он будто плыл по волнам...

Или парил в небесах... Или вообще умер. Да, именно так. Он умер, и его душа на всех парах неслась ввысь.

В конце концов ледяная вода вернула Тоуда к жизни.

Летучая жаба! Ха-ха-ха!
Подобное оскорбление не могло остаться безнаказанным.

Ты гляди, вынырнул...
О нет...
Эй ты! Не смей отвязывать лошадь! Нет! Нет!!
Хе-хе...
Тетка на барже продолжала кричать, бешено жестикулируя, но Жаба ее не слушал. Он хотел серьезной мести, а не дешевой победы. О да, он напишет об этом книгу! И вот тогда...

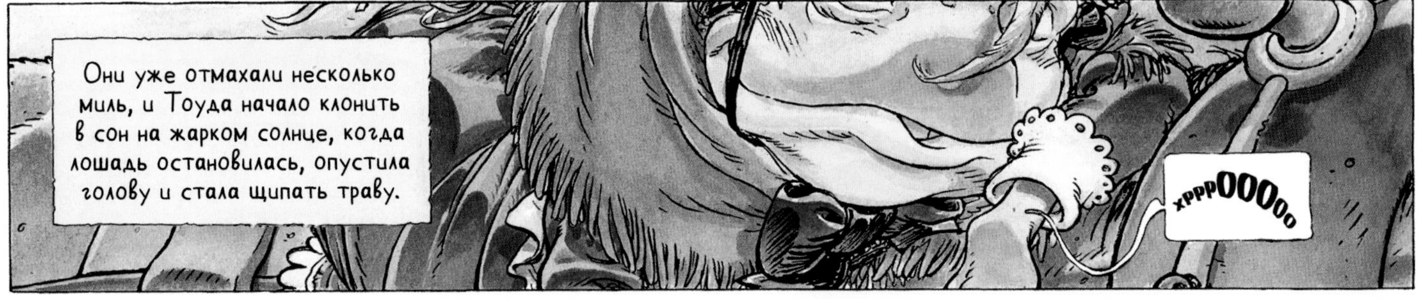
Они уже отмахали несколько миль, и Тоуда начало клонить в сон на жарком солнце, когда лошадь остановилась, опустила голову и стала щипать траву.
хрррОООоо

Хррум
Проснулся он уже на земле.

Но что это?
Кажется, пахнет рагу!
нюх!

Определить источник чудного запаха не составило никакого труда...

День добрый! Хорошая погодка, не так ли?
Ага.

Пахнет чертовски вкусно!

Сейчас бы перекусить...

Глп!

Кобыла.
Почем?
Э-э-э... Вообще-то лошадь призовая, чистых кровей, и...
Три шиллинга.
Три шиллинга?
...и столько еды, сколько я могу съесть из этого котелка!
По рукам!
Три шиллинга... Меня продали за три шиллинга... Позор!
буль буль буль буль бул буль буль буль
Вкусно поев, Тоуд двинулся дальше. При этом он так раздулся от самодовольства, что сочинил песню.
Историй о разных героях Написано невпроворот. Но кто всех сильней и отважней? Конечно же, мистер Тоуд!
Как вдруг вдалеке...
?
...он услышал знакомый звук.
Бип
!
И даже слишком знакомый!
Бип Бип Бип Бип Бип
Автомобиль! Тот самый!
Бип Бип Бип
Но поздно...
О боже!
Бедная дама потеряла сознание...
Мэм! Может, вас подвезти?
Ох!
ВЗЖИК
Сердечно благодарю... А нельзя ли мне сесть за руль? Я очень боюсь, когда ведет кто-то другой...
Браво, мэм! Прошу...
Сегодня день попутчика, не иначе!
Ай-яй-яй...
Мы только что подобрали этого речника и его собаку.
А?
Надо же, как у нее здорово получается!

БИИИИИП

И понеслось.
Н-да...

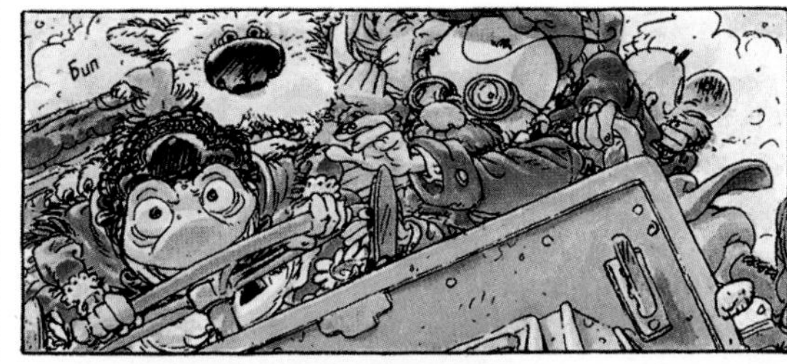
Бип

О нет...
Снова они!!

?!

ПУФ
Хрю?
Похоже, тюремное заключение никак не отразилось на его навыках вождения.

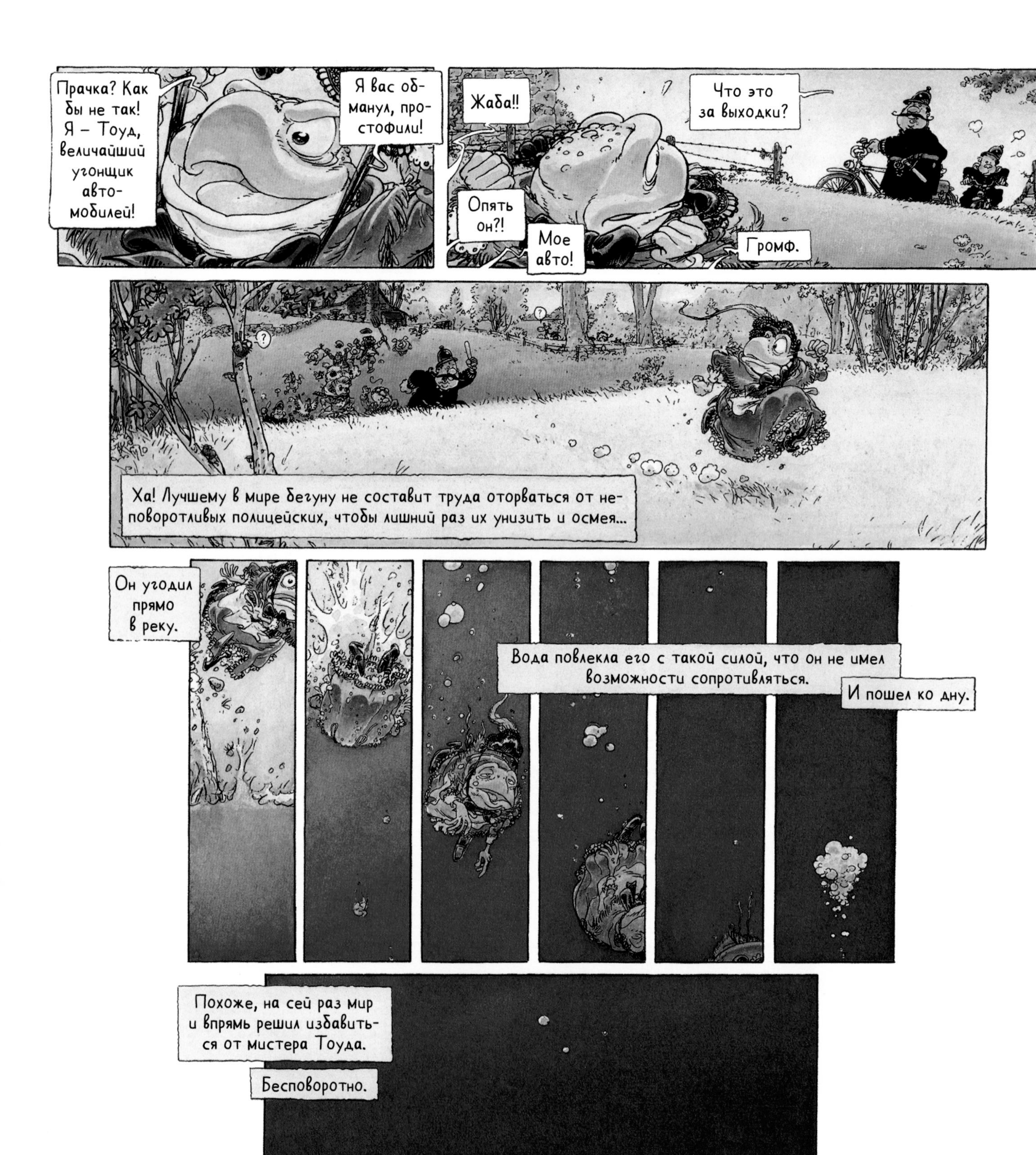

Что-то кольнуло его в бедро...

10. «Как летний ливень слёз поток»

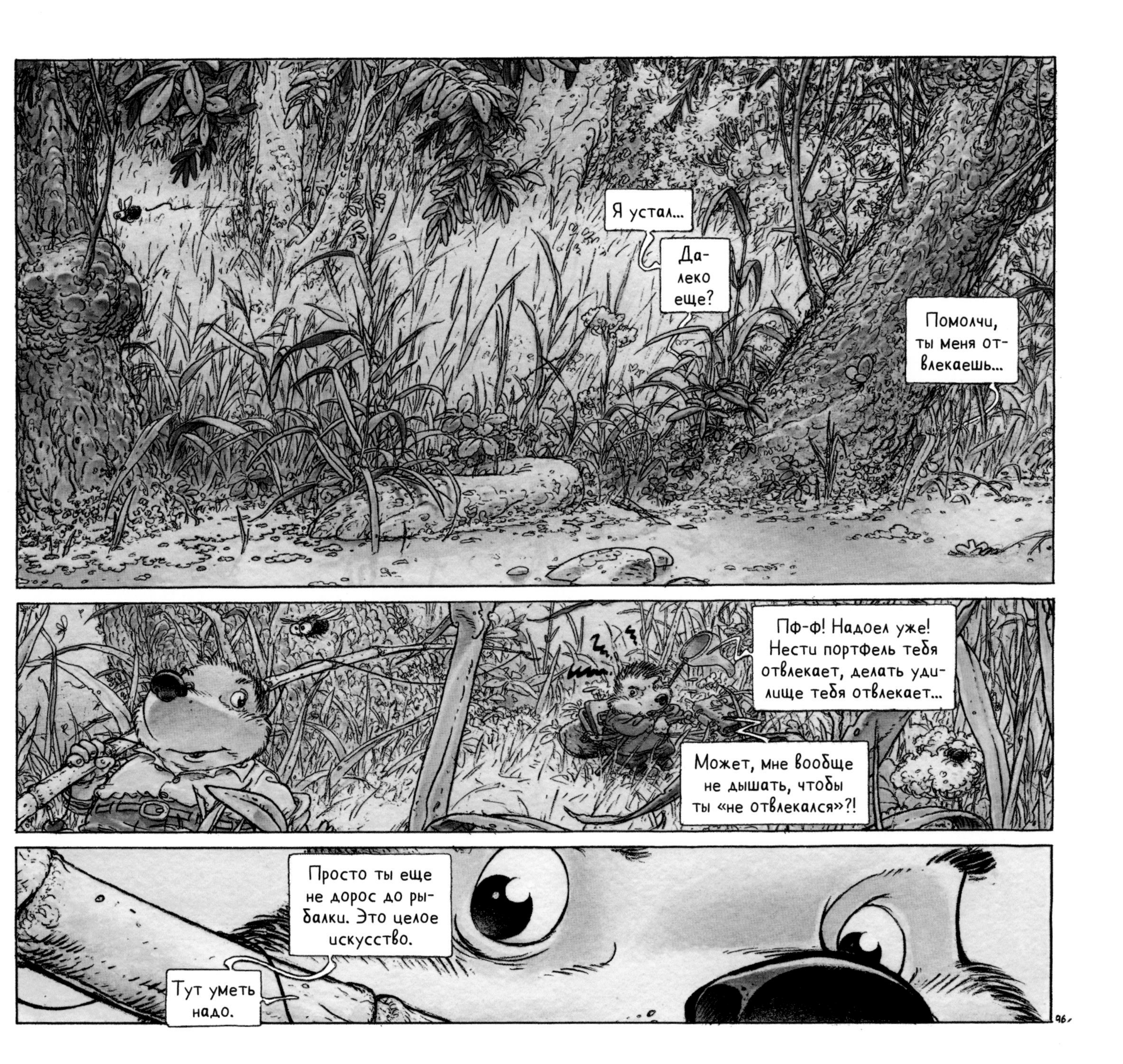

Сам ты не дорос! Сам ты ничего не знаешь, а только прикидываешься!!
Всё я знаю.
Сначала надо принюхаться, присмотреться, почувствовать воду, течение... Надо...
Э-э...
Представить рыбу!
...представить рыбу?!!
Да. Только так ты поймешь, где ее искать.
Ха-ха-ха! «Представить рыбу»! Буль-буль! Ха-ха!
Ты маленький и глупый! Думаешь, рыбалка – это игра? Забросил удочку где попало и...
...ждешь, пока рыба сама клюнет?
?!!

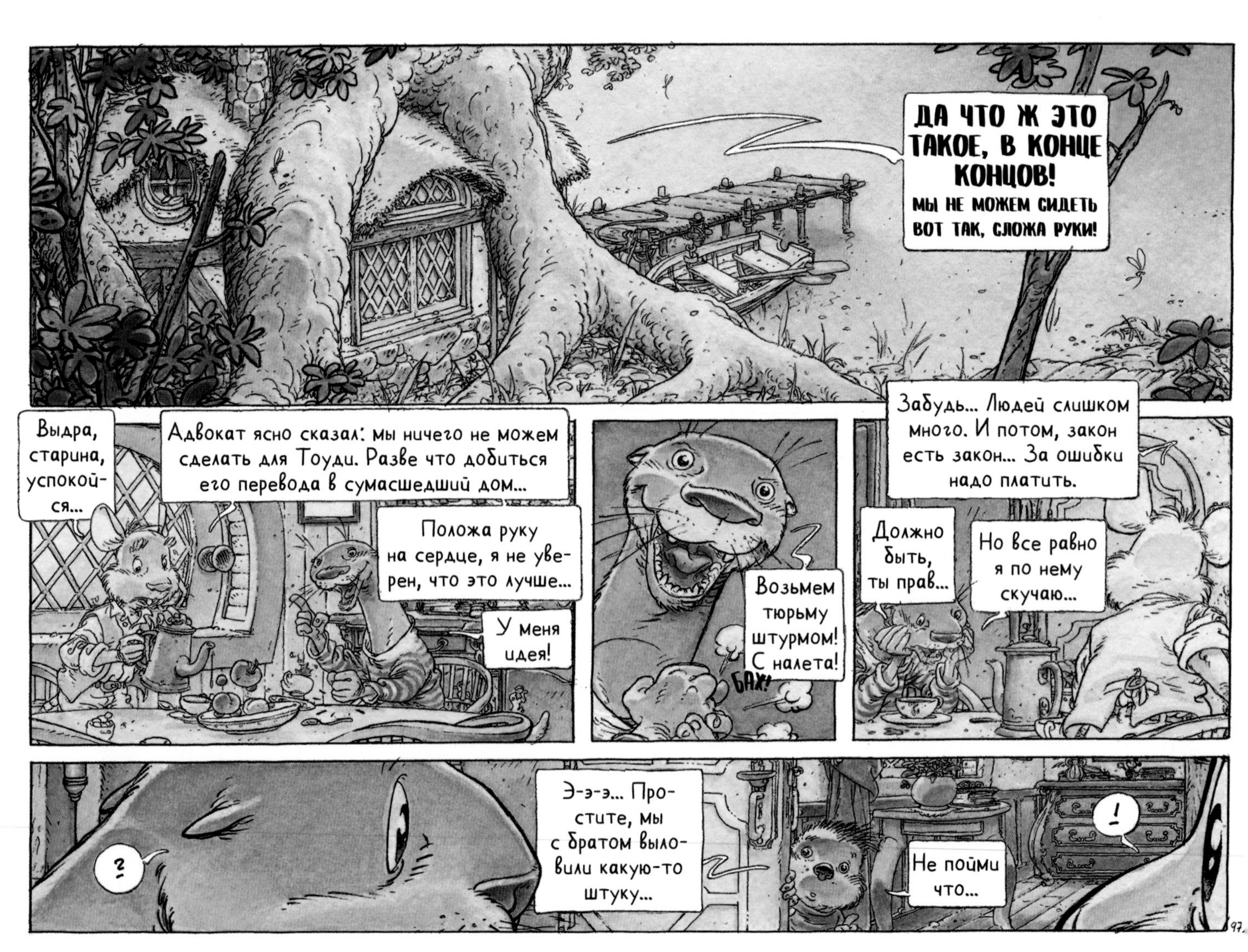
ДА ЧТО Ж ЭТО ТАКОЕ, В КОНЦЕ КОНЦОВ! МЫ НЕ МОЖЕМ СИДЕТЬ ВОТ ТАК, СЛОЖА РУКИ!
Выдра, старина, успокойся...
Адвокат ясно сказал: мы ничего не можем сделать для Тоуди. Разве что добиться его перевода в сумасшедший дом...
Положа руку на сердце, я не уверен, что это лучше...
У меня идея!
Возьмем тюрьму штурмом! С налета!
БАХ!
Забудь... Людей слишком много. И потом, закон есть закон... За ошибки надо платить.
Должно быть, ты прав...
Но все равно я по нему скучаю...
?
Э-э-э... Простите, мы с братом выловили какую-то штуку...
Не пойми что...
!

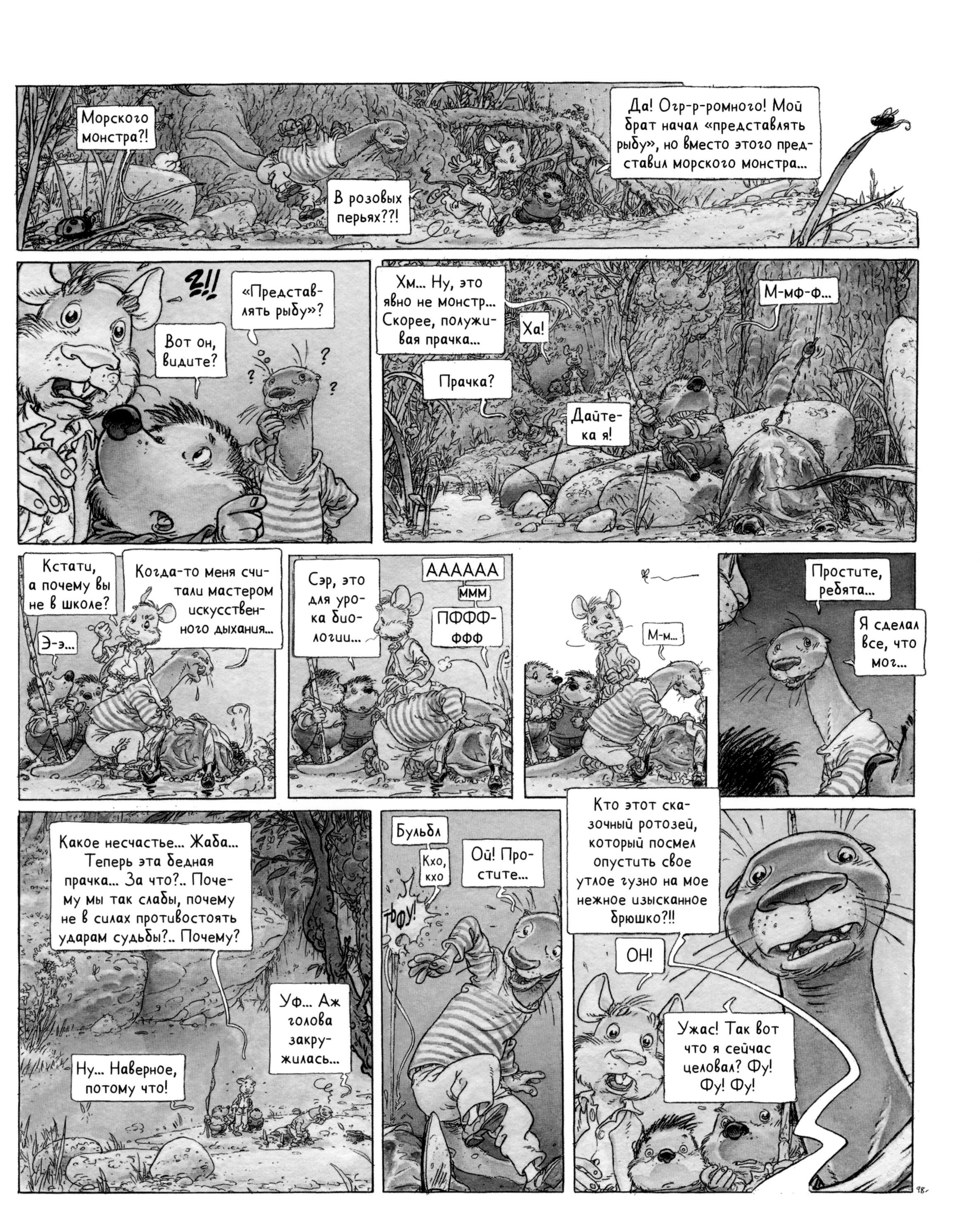

Морского монстра?!
В розовых перьях??!
Да! Огр-р-ромного! Мой брат начал «представлять рыбу», но вместо этого представил морского монстра...
?!!
Вот он, видите?
«Представлять рыбу»?
Хм... Ну, это явно не монстр... Скорее, полуживая прачка...
Ха!
Прачка?
Дайте-ка я!
М-мф-ф...
Кстати, а почему вы не в школе?
Э-э...
Когда-то меня считали мастером искусственного дыхания...
Сэр, это для урока биологии...
АААААА
МММ
ПФФФ-ФФФ
М-м...
Простите, ребята...
Я сделал все, что мог...
Какое несчастье... Жаба... Теперь эта бедная прачка... За что?.. Почему мы так слабы, почему не в силах противостоять ударам судьбы?.. Почему?
Ну... Наверное, потому что!
Уф... Аж голова закружилась...
Бульбл
Кхо, кхо
ТЬФУ!
Ой! Простите...
Кто этот сказочный ротозей, который посмел опустить свое утлое гузно на мое нежное изысканное брюшко?!!
ОН!
Ужас! Так вот что я сейчас целовал? Фу! Фу! Фу!

Не будем тратить лишний десяток страниц на то, чтобы живописать встречу друзей с мистером Тоудом, ибо это и правда был он. Лучше сразу перенесемся в дом Рэта...
А школа разве не в той стороне?..
Ну точно он, собственной персоной! Мы тут, понимаешь, волнуемся, а он в реке бултыхается, да еще в маскарадном костюме!..
Рэт был так счастлив, что приготовился с легкой душой простить Жабе все его выходки, художества, эскапады, все эти бесчисленные дурачества и коленца...
?!!
!
Мой дубовый паркет!
Мой восточный ковер!
Кап
Сейчас же отправляйся наверх, сними с себя эти тряпки и вымойся!
И надень шлепанцы!
...нет, наверное, рановато!
Жаба сделал все в точности, как велел Рэт...
...и даже насчет шлепанцев не стал спорить.
Кхгм.
Та-дам!
А-а-а-а... Какое блаженство! Тоуд как следует вымылся, почистился и переоделся. Жизнь налаживалась!
Вот теперь он был готов предстать перед друзьями по-настоящему.
Он и впрямь чувствовал себя обновленным.

Вот, мы накрыли для тебя стол, каких тебе давненько видывать не приходилось!
Давай наверни, а заодно расскажешь нам о своих приключениях. Бьюсь об заклад, там и драки были!

Здесь все самое вкусное: бергамотовый чай, печеные яблоки и румяные тосты с маслом...
Прости, апельсиновый джем кончился.

Жаба с жадностью набросился на угощение; он ел, ел и ел и при этом болтал, болтал, болтал не переставая, брызгая слюной во все стороны.
Ражумеетша! Я как лев отбивалша от орды обежумевших воднитш!
О нет...
Невероятно...
И не говори!

Хм!
Невероятно, что ни одно из злоключений не послужило тебе уроком! Лишь бы бахвалиться! Когда же ты наконец проявишь благоразумие?

Когда подумаешь о своих друзьях, позволишь им гордиться тобой?
По-твоему, очень приятно слышать, что я, мол, вожусь с уголовником?!!
!
Ну...

Глп.
Ты прав, Рэтти. Ты всегда очень разумно говоришь...

Кстати, пока я тонул, меня осенила действительно блестящая идея – насчет лодок, которые могли бы свободно плавать не только над, но и под водой, и таким об...

Я понял! Он «представил рыбу»!!

?

Ладно. Это всё глупости, мысли вслух и не более. Отныне я буду вести размеренную, приличную жизнь, займусь хозяйством, приведу сад в порядок. Опять заведу пони с тележкой, чтобы кататься по окрестностям, как в старые добрые времена...
Красота...
Блеск.

КАК?! ХОЧЕШЬ СКАЗАТЬ, ТЫ НИЧЕГО НЕ СЛЫШАЛ?!!

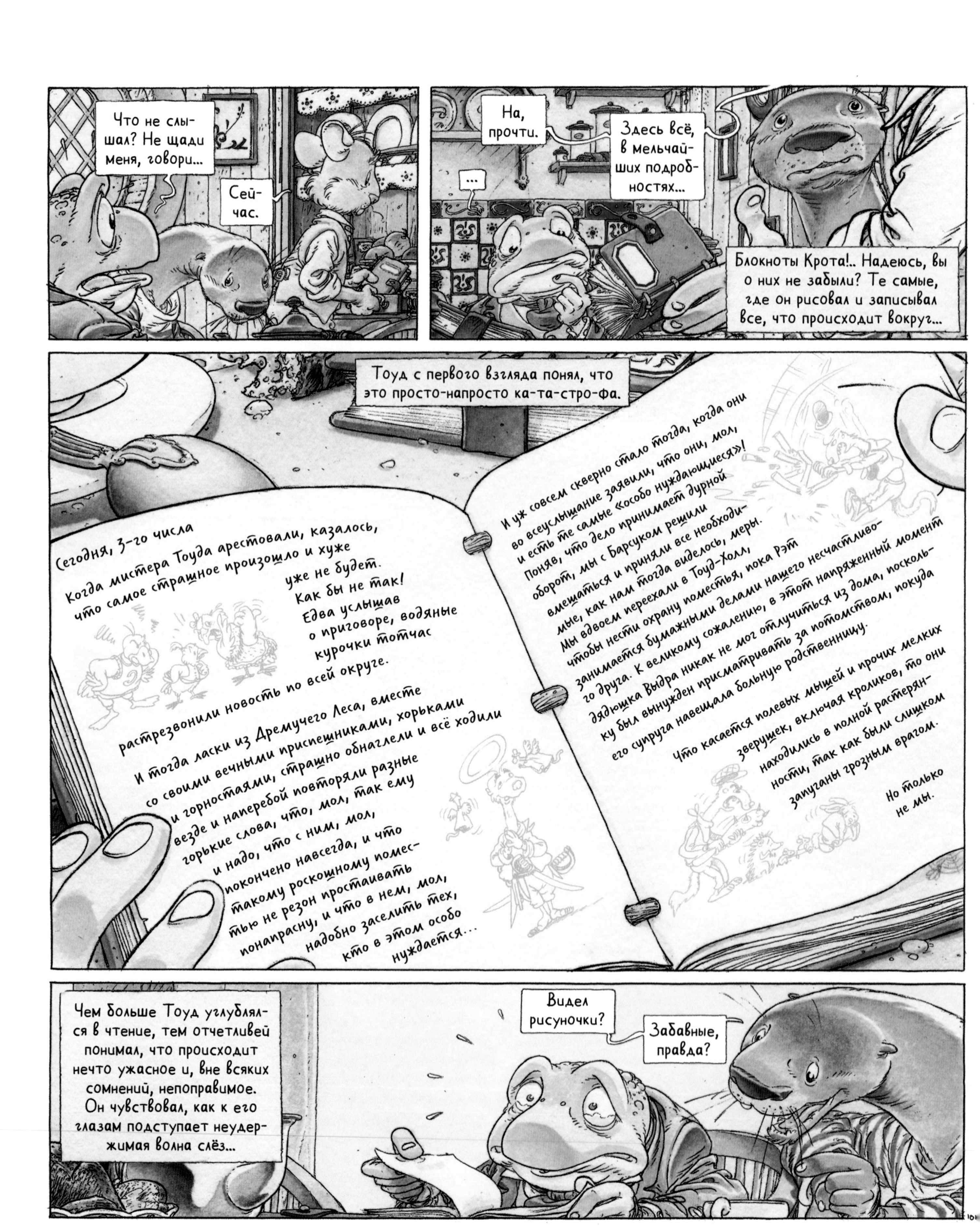
Что не слышал? Не щади меня, говори...
Сейчас.
На, прочти.
...
Здесь всё, в мельчайших подробностях...
Блокноты Крота!.. Надеюсь, вы о них не забыли? Те самые, где он рисовал и записывал все, что происходит вокруг...
Тоуд с первого взгляда понял, что это просто-напросто ка-та-стро-фа.
Сегодня, 3-го числа
Когда мистера Тоуда арестовали, казалось, что самое страшное произошло и хуже уже не будет.
Как бы не так!
Едва услышав о приговоре, водяные курочки тотчас растрезвонили новость по всей округе.
И тогда ласки из Дремучего Леса, вместе со своими вечными приспешниками, хорьками и горностаями, страшно обнаглели и всё ходили везде и наперебой повторяли разные горькие слова, что, мол, так ему и надо, что с ним, мол, покончено навсегда, и что такому роскошному поместью не резон простаивать понапрасну, и что в нем, мол, надобно заселить тех, кто в этом особо нуждается...
И уж совсем скверно стало тогда, когда они во всеуслышание заявили, что они, мол, и есть те самые «особо нуждающиеся»! Поняв, что дело принимает дурной оборот, мы с Барсуком решили вмешаться и приняли все необходимые, как нам тогда виделось, меры. Мы вдвоем переехали в Тоуд-Холл, чтобы нести охрану поместья, пока Рэт занимается бумажными делами нашего несчастливого друга. К великому сожалению, в этот напряженный момент дядюшка Выдра никак не мог отлучиться из дома, поскольку был вынужден присматривать за потомством, покуда его супруга навещала больную родственницу.
Что касается полевых мышей и прочих мелких зверушек, включая кроликов, то они находились в полной растерянности, так как были слишком запуганы грозным врагом.
Но только не мы.
Чем больше Тоуд углублялся в чтение, тем отчетливей понимал, что происходит нечто ужасное и, вне всяких сомнений, непоправимое. Он чувствовал, как к его глазам подступает неудержимая волна слёз...
Видел рисуночки?
Забавные, правда?

Продолжение записок не содержало и намека на улучшение. Стоит ли удивляться, что в конце концов из глаз Тоуда хлынули тяжелые капли, громко барабаня по бумажным страницам...
Всхлип.
Хлюп.
Хлюп.
Нет? А-а.
Сегодня, 7-го числа
Мы с Барсуком несли караул по очереди, но ОНИ всё не приходили. Ага, ОНИ поняли, с кем имеют дело! На обед Рэт приносил нам раков, выловленных Выдрой. Что бы мы делали без наших друзей?
Сегодня, 10-го числа
Позор на наши головы!
И всё же мы проиграли...
Воспользовавшись темной ночью — а это была очень темная ночь, и ветреная до невозможности, и к тому же дождь лил как из ведра, — ласки, собравшись целым отрядом, вооруженные до зубов, подползли к парадному входу Тоуд-Холла. Одновременно целая банда хорьков, пройдя огородами, овладела хозяйственным двором и конторой, а небольшой отряд головорезов-горностаев занял оранжерею и бильярдную
Бим
Бам
Бум
и пооткрывал все окна, выходящие на лужайку. Тем временем мы с Барсуком сидели у камина в курительной комнате, рассказывая друг другу разные случаи из жизни, решительно ничего не подозревая, потому что в такую ночь ни один зверь не выходит из дому. Эти кровожадные злодеи ворвались в комнату и окружили нас. Мы сражались из последних сил, да толку-то? Мы были безоружны, кроме того, нас застали врасплох, и к тому же что могут сделать двое против сотни? Понятно, что они быстро выгнали нас из дому на холод, сырость и в темноту, награждая неслыханными оскорблениями.
На этих словах Тоуд разрыдался так, что друзья начали опасаться, как бы он снова не начал тонуть — на сей раз в слезах.
На вот, утрись.
Теперь ты знаешь всё.
С тех пор эти из Дремучего Леса поселились в Тоуд-Холле и ведут себя безобразно! Валяются в постели до обеда и такой, говорят, учинили разгром, что страшно смотреть.
Они потешаются над тобой, сочиняют про тебя грубые песенки, в которых остроумия ни на грош.
ЧТО-О?!

Да за кого они меня принимают?!! Меня, Тоуда! Потомственного аристократа! Ну я им покажу! Ну я им задам!
ХЛОП!
Тоуди, стой! Это бесполезно...
Ух ты! Я с радостью бы остался посмотреть продолжение, но пора малышей кормить...

Тоуд ушел, и удержать его не было никакой возможности...
Он пыхтел...
...бормотал...
...ярился...
...бранился...
...лез на рожон...

Справа чисто...
Слева чисто...
Уф!
Автомобилей в поле зрения нет...

БАДАМ!
...не замечая препятствий...

...?!!... Наверное, ураган...

...пока не дошел до парадных ворот Тоуд-Холла.

Стой! Кто идет?
Жабу чуть удар не хватил.

Кто тебе позволил так со мной разговаривать? Выходи сейчас же! Или ты меня не узнал?
КЛАЦ
КЛАЦ
Отчего ж не узнать...

БАХ!

Ха
ХаХа
Ха
Ха ХаХа

103

ХЛОП!
Ну, как прошло?

БАДА
БАМ
ДЗАН
крхррр
Плохо.

РЕ-ХЛОП!
Вторая попытка?

Тоуд отвязал лодку и поплыл вверх по реке, где сад Тоуд-Холла спускался к самой воде.

Дом, милый дом...
На первый взгляд там было тихо. Он мог спокойно обозревать фасад Тоуд-Холла, залитый лучами заходящего солнца, сад, бухту перед лодочным сараем, маленький мостик... Все выглядело спокойно, необитаемо и, казалось, ждало его возвращения.

Он уже проплывал под мостом...

...как вдруг...
!?
КРАДАКК
ПЛЮХ

Гляньте-ка, изгнанничек заявился! Ха-ха!
Хе-хе-хе!
Хи-хи, хи-хи!
Ха-ха!
Хо-хо, хо-хо!
Вот потеха! Ньях-ха!
Таких время не лечит! Лягушка – она лягушка и есть! Ха-ха!
Йек, йек!
Следующий камешек полетит в тебя!
Ха, ха!
Хи-хи Хи-и-и...

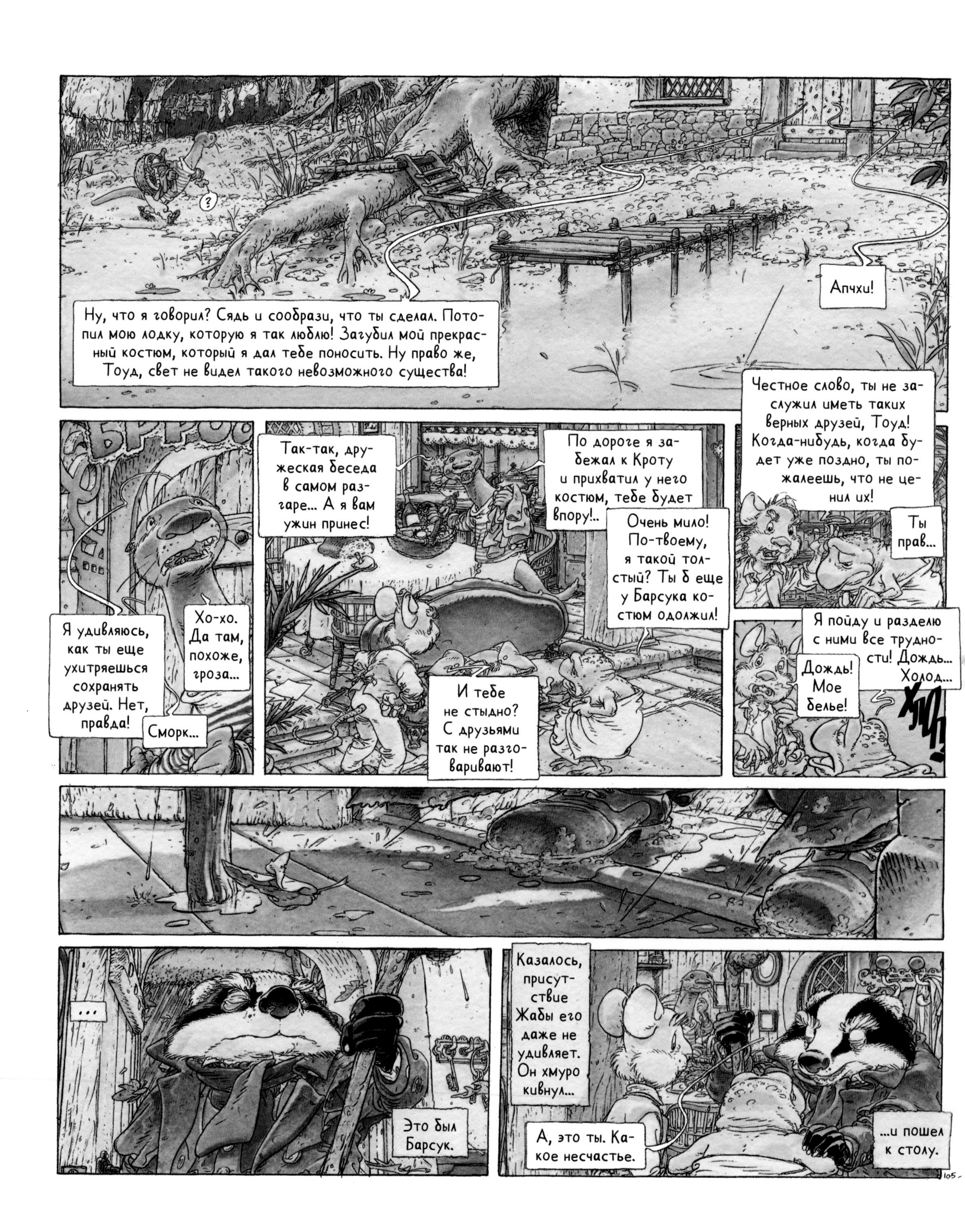
?
Апчхи!
Ну, что я говорил? Сядь и сообрази, что ты сделал. Потопил мою лодку, которую я так люблю! Загубил мой прекрасный костюм, который я дал тебе поносить. Ну право же, Тоуд, свет не видел такого невозможного существа!
Хо-хо. Да там, похоже, гроза...
Я удивляюсь, как ты еще ухитряешься сохранять друзей. Нет, правда!
Сморк...
Так-так, дружеская беседа в самом разгаре... А я вам ужин принес!
По дороге я забежал к Кроту и прихватил у него костюм, тебе будет впору!..
Очень мило! По-твоему, я такой толстый? Ты б еще у Барсука костюм одолжил!
И тебе не стыдно? С друзьями так не разговаривают!
Честное слово, ты не заслужил иметь таких верных друзей, Тоуд! Когда-нибудь, когда будет уже поздно, ты пожалеешь, что не ценил их!
Ты прав...
Я пойду и разделю с ними все трудности! Дождь... Холод...
Дождь! Мое белье!
...
Это был Барсук.
Казалось, присутствие Жабы его даже не удивляет. Он хмуро кивнул...
А, это ты. Какое несчастье.
...и пошел к столу.

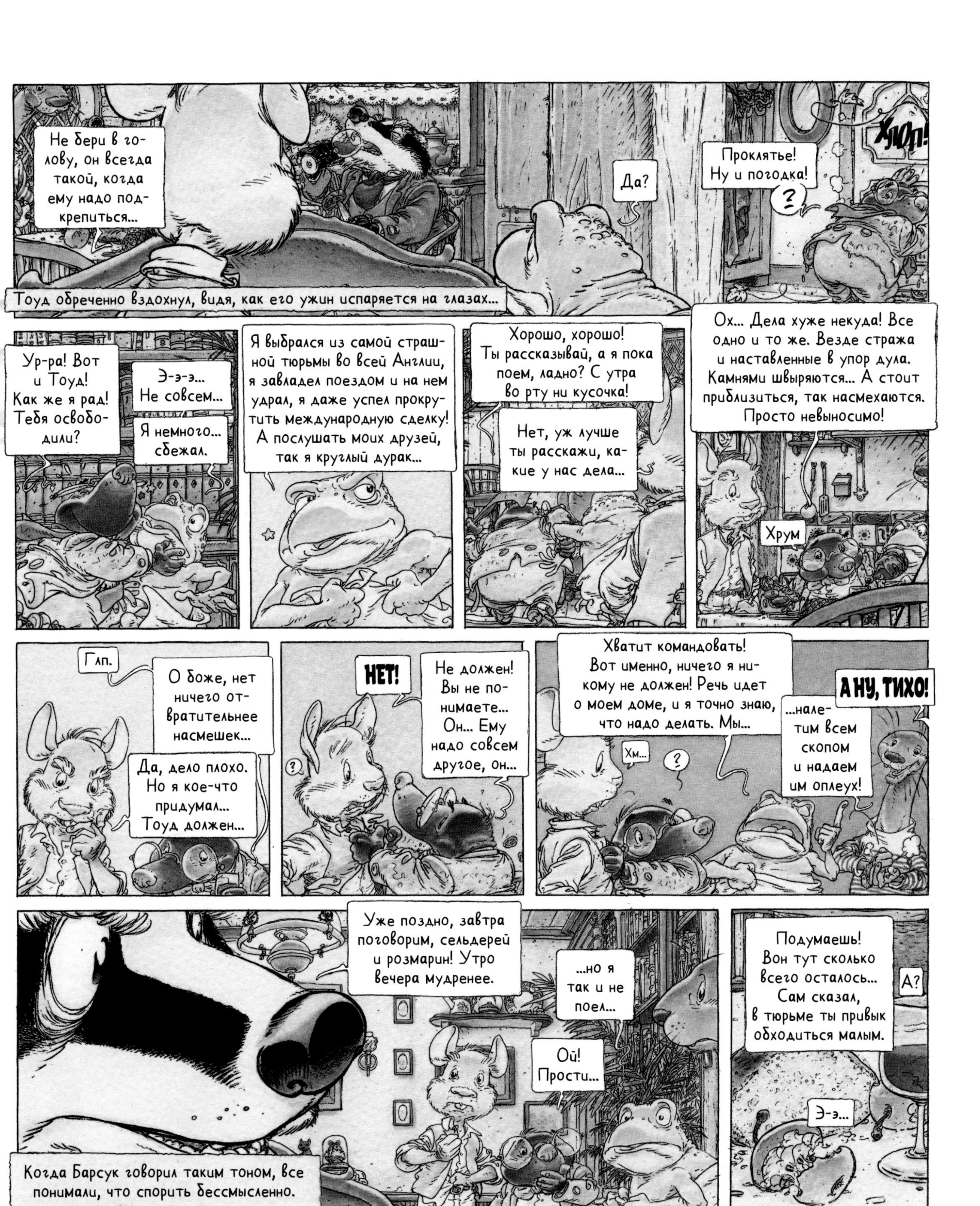
Не бери в голову, он всегда такой, когда ему надо подкрепиться...
Тоуд обреченно вздохнул, видя, как его ужин испаряется на глазах...
Да?
Проклятье! Ну и погодка!
?
ХЛЮП!
Ур-ра! Вот и Тоуд! Как же я рад! Тебя освободили?
Э-э-э... Не совсем...
Я немного... сбежал.
Я выбрался из самой страшной тюрьмы во всей Англии, я завладел поездом и на нем удрал, я даже успел прокрутить международную сделку! А послушать моих друзей, так я круглый дурак...
Хорошо, хорошо! Ты рассказывай, а я пока поем, ладно? С утра во рту ни кусочка!
Нет, уж лучше ты расскажи, какие у нас дела...
Ох... Дела хуже некуда! Все одно и то же. Везде стража и наставленные в упор дула. Камнями швыряются... А стоит приблизиться, так насмехаются. Просто невыносимо!
Хрум
Глп.
О боже, нет ничего отвратительнее насмешек...
Да, дело плохо. Но я кое-что придумал... Тоуд должен...
НЕТ!
?
Не должен! Вы не понимаете... Он... Ему надо совсем другое, он...
Хватит командовать! Вот именно, ничего я никому не должен! Речь идет о моем доме, и я точно знаю, что надо делать. Мы...
Хм...
?
...налетим всем скопом и надаем им оплеух!
А НУ, ТИХО!
Уже поздно, завтра поговорим, сельдерей и розмарин! Утро вечера мудренее.
...но я так и не поел...
Ой! Прости...
Когда Барсук говорил таким тоном, все понимали, что спорить бессмысленно.
Подумаешь! Вон тут сколько всего осталось... Сам сказал, в тюрьме ты привык обходиться малым.
А?
Э-э...

Наутро Тоуд, по своему обыкновению, встал очень поздно. Окутанный сладостной дымкой одержанных во сне великолепных побед, он наконец соизволил спуститься. Выдра – само собой, с большим сожалением – давно убежал, призываемый домашними хлопотами; Крот куда-то ускользнул, никому не сказав ни слова.
ХР
Барсук похрапывал в кресле, а Рэт, наоборот, с деловым видом носился по комнате, таская разного рода оружие.
ХЛОП!
Уф-ф! Друзья, есть новости!
?!!
Утром, когда я увидел, что старая прачкина одежда так и висит возле камина, меня осенило! Я надел платье, чепчик, накинул шаль и отправился в Тоуд-Холл...
И?..
Они меня, естественно, обругали... но надавали целый ворох белья для стирки!
А главное, я узнал, что сегодня вечером у них намечен банкет в честь прибытия нотариуса и подписания документа, я не разобрал какого.
Хм.
Титул права собственности! Все пропало!
Пф-ф! Какая чушь – вырядиться прачкой! Курам на смех!!
Не знаю, что на меня нашло, но я тут же им заявил, что завтра на них нападет целая армия крыс, барсуков, жаб и кротов и что им лучше убраться подобру-поздорову.
Да вы с ума сошли!
Напротив, Крот всё сделал отлично! Молодец!
?
Ха! Видели бы вы их!
Когда сегодня вечером мы нанесем им визит, они будут так перепуганы, будто их и впрямь атакуют со всех сторон.
Да, но как мы войдем?
Сейчас я сообщу вам великую тайну...

Хм.
Твой отец, Тоуди, был зверем очень достойным, и он был моим близким другом. Так вот: он обнаружил в поместье подземный ход, вычистил его и привел в порядок, думая, что когда-нибудь этот ход вдруг да и пригодится...
А еще он взял с меня клятву никому о нем не рассказывать, пока не грянет что-то серьезное...
Нелепица! Вздор! Почему папа никогда об этом не говорил? Он мне доверял, он поведал мне все секреты – например, про тот тайник в печной трубе, где...

Ой...
...хорошо, я понял.

Я и правда всегда был немножечко болтуном. Я ведь лицо известное, сами знаете... Меня часто навещают...
...мы, понятное дело, острим, веселимся, рассказываем анекдоты, и язык у меня начинает маленько вилять. Я прирожденный собеседник, я не выношу тишины... Мне частенько советовали завести салон, что бы там это ни значило...

Дубинка для Барсука...
Дубинка для Крота...
А это для меня...
Хр
Выступать решили, как только стемнеет.
Впрочем, до вечера было еще далеко, поэтому каждый занялся своими делами. Барсук отправился подремать, Рэт возобновил приготовления, а Крот заставил Жабу рассказать все свои приключения...
Ну а вы? Чем вы планируете заняться? Отдохнуть? Заморить червячка? Или просто перевернуть страницу?..

11. Возвращение Одиссея

Осторожнее, Тоуди...
Знаю, знаю, мох скользкий! Я не глухой!

От меня не отставайте и смотрите под ноги.
ПЛЮХ!

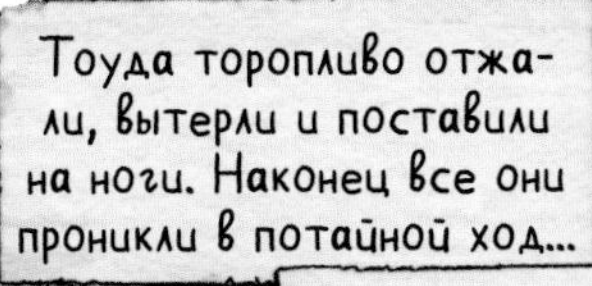
Тоуда торопливо отжали, вытерли и поставили на ноги. Наконец все они проникли в потайной ход...

Экспедиция действительно началась.

И тут челюсти бедного Тоуда начали отбивать барабанную дробь – то ли от страха, то ли от холода.
Сказать по чести, он и правда промок до нитки, а в подземелье было нежарко.

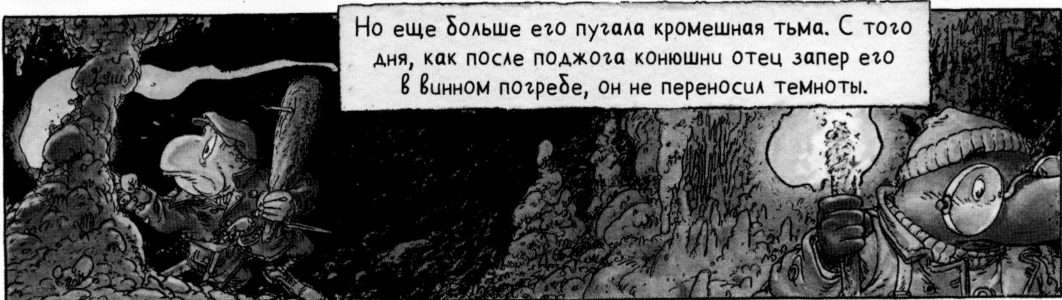
Но еще больше его пугала кромешная тьма. С того дня, как после поджога конюшни отец запер его в винном погребе, он не переносил темноты.

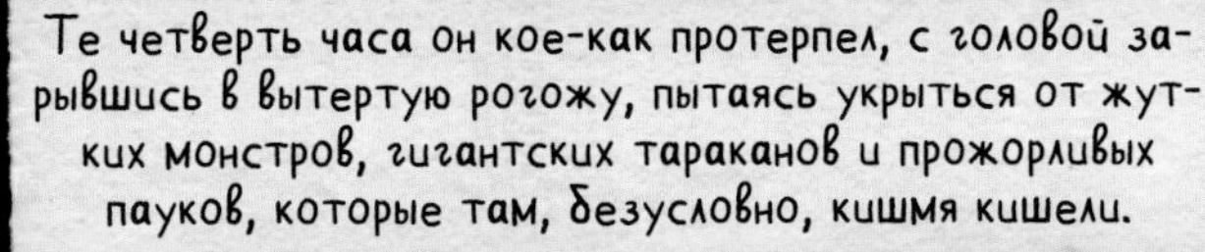
Те четверть часа он кое-как протерпел, с головой зарывшись в вытертую рогожу, пытаясь укрыться от жутких монстров, гигантских тараканов и прожорливых пауков, которые там, безусловно, кишмя кишели.

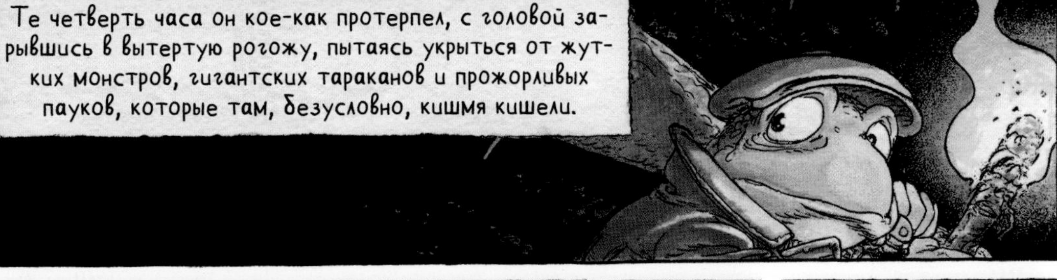

Эй!
Погруженный в воспоминания, он не заметил, как остался один...

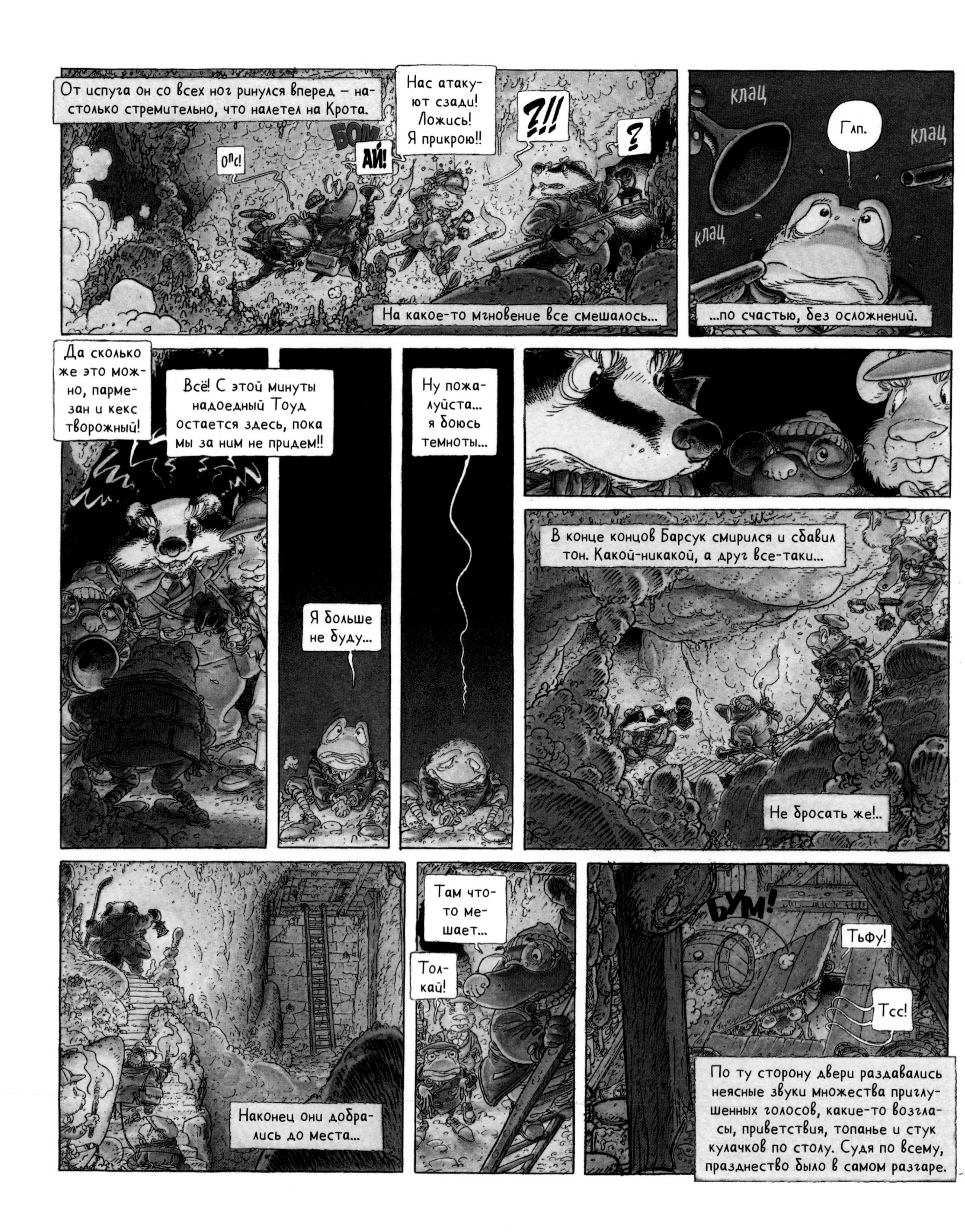
От испуга он со всех ног ринулся вперед – настолько стремительно, что налетел на Крота.
Опс!
АЙ!
Нас атакуют сзади! Ложись! Я прикрою!!
?!!
?
На какое-то мгновение все смешалось...
клац
Глп.
клац
клац
...по счастью, без осложнений.
Да сколько же это можно, пармезан и кекс творожный!
Всё! С этой минуты надоедный Тоуд остается здесь, пока мы за ним не придем!!
Я больше не буду...
Ну пожалуйста... я боюсь темноты...
В конце концов Барсук смирился и сбавил тон. Какой-никакой, а друг все-таки...
Не бросать же!..
Наконец они добрались до места...
Там что-то мешает...
Толкай!
БУМ!
Тьфу!
Тсс!
По ту сторону двери раздавались неясные звуки множества приглушенных голосов, какие-то возгласы, приветствия, топанье и стук кулачков по столу. Судя по всему, празднество было в самом разгаре.

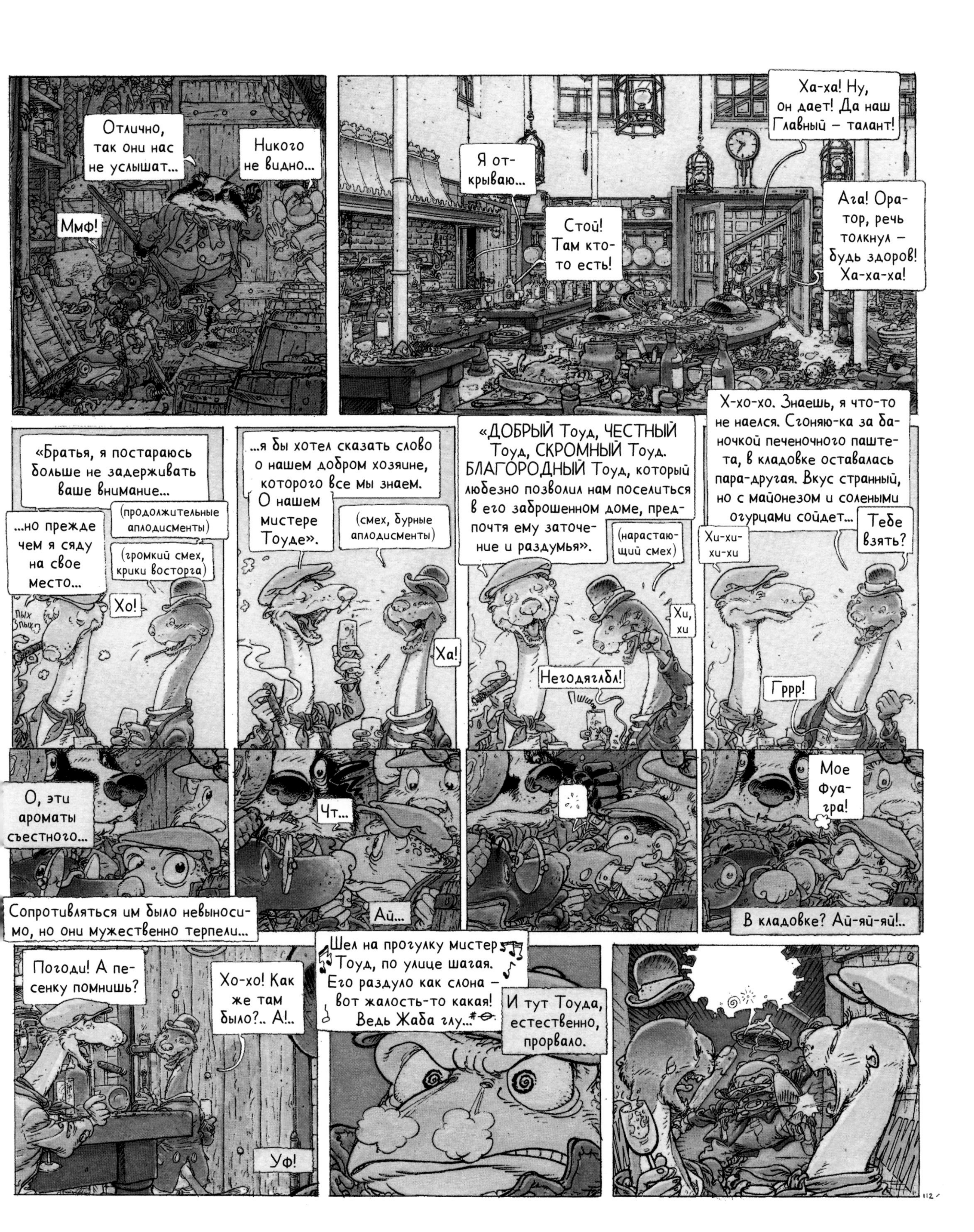

Отлично, так они нас не услышат...
Никого не видно...
Ммф!
Я открываю...
Стой! Там кто-то есть!
Ха-ха! Ну, он дает! Да наш Главный – талант!
Ага! Оратор, речь толкнул – будь здоров! Ха-ха-ха!
«Братья, я постараюсь больше не задерживать ваше внимание...
(продолжительные аплодисменты)
...но прежде чем я сяду на свое место...
(громкий смех, крики восторга)
Хо!
...я бы хотел сказать слово о нашем добром хозяине, которого все мы знаем.
О нашем мистере Тоуде».
(смех, бурные аплодисменты)
Ха!
«ДОБРЫЙ Тоуд, ЧЕСТНЫЙ Тоуд, СКРОМНЫЙ Тоуд. БЛАГОРОДНЫЙ Тоуд, который любезно позволил нам поселиться в его заброшенном доме, предпочтя ему заточение и раздумья».
(нарастающий смех)
Хи, хи
Негодяглбл!
Х-хо-хо. Знаешь, я что-то не наелся. Сгоняю-ка за баночкой печеночного паштета, в кладовке оставалась пара-другая. Вкус странный, но с майонезом и солеными огурцами сойдет...
Хи-хи-хи-хи
Тебе взять?
Гррр!
О, эти ароматы съестного...
Сопротивляться им было невыносимо, но они мужественно терпели...
Чт...
Ай...
Мое Фуа-гра!
В кладовке? Ай-яй-яй!..
Погоди! А песенку помнишь?
Хо-хо! Как же там было?.. А!..
Уф!
Шел на прогулку мистер Тоуд, по улице шагая. Его раздуло как слона – вот жалость-то какая! Ведь Жаба глу...
И тут Тоуда, естественно, прорвало.

БАХ!
!?!
Эй! Эт' хтой-то там посмел откупорить шампанское до прихода чинуши? Эт' комуй-то там так не терпится?
?!
!
ИК

ШМЯК!

БОМ
БАХ!
БАХ
Час пробил. Бал начался.

О, то была славная битва!
Как жаль, что дела семейные так и не отпустили Выдру из дома...

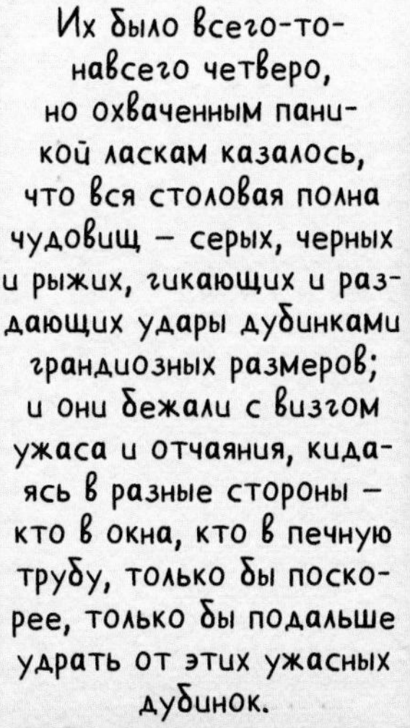
Их было всего-то-навсего четверо, но охваченным панико́й ласкам казалось, что вся столовая полна чудовищ – серых, черных и рыжих, гикающих и раздающих удары дубинками грандиозных размеров; и они бежали с визгом ужаса и отчаяния, кидаясь в разные стороны – кто в окна, кто в печную трубу, только бы поскорее, только бы подальше удрать от этих ужасных дубинок.

Однако что-то я заболтался... Пора уступить место действию!
Барсуки! Жабы!
Кроты! Водяные крысы!
Они везде!
БАХ!
Мама!

Хорьки на их стороне! Нас предали!!!
ОХРАНА!!!

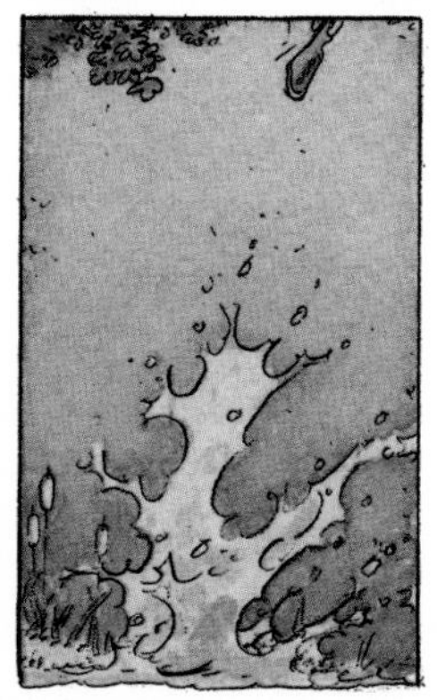

БАХ!

ТРЕВОГА!
МЫ В ЗАПАДНЕ! ГОРНОСТАИ ЗАОДНО С НИМИ!

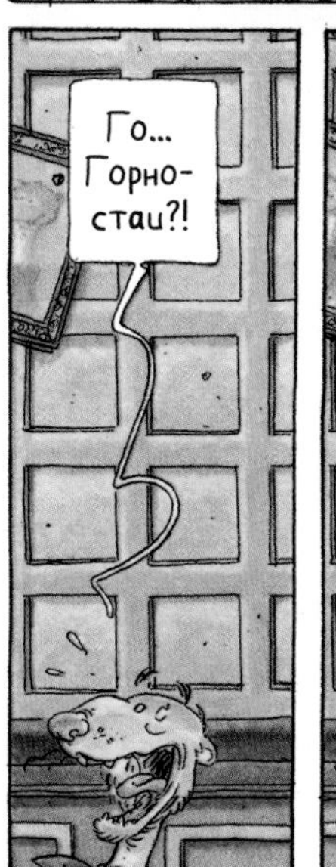
Го... Горностаи?!

С ними?!!

Где?

Не-а, не здесь. Здесь кроты!
БАМС!
Ой!

Ну как?
Хи-хи! Вот это, я понимаю, веселье!

Э-э-э...
Ошибочка!

АГА!
Там!
Титул!

Есть!

хвать
Нет...

О да!
О нет!

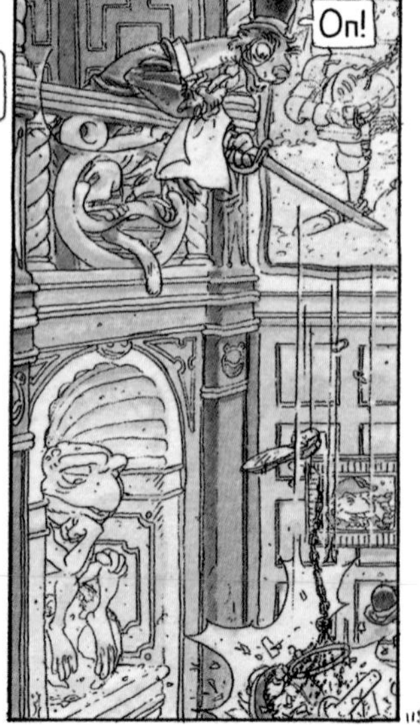
Оп!

КРАК!

ШВАРК!

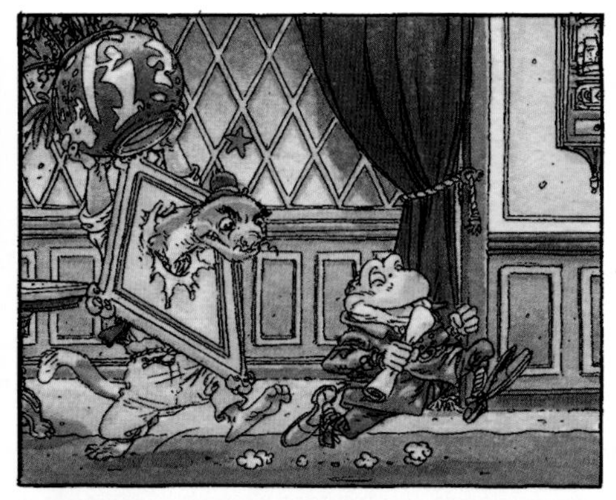

Как, это мне? Правда? Ну что вы, не стоило...

Где титул?!
Всё в порядке, он у Жа...

Ой! Уже нет...
БАХ!
БЕМС!
Ай!

Хе-хе!

Ииии

Нет как нет, ветчина и омлет!
Беги, братишка! А вам всем – крышка!
Ушел! Прощай, Тоуд-Холл!

Без этой бумажки пиши пропало...
Простите...
?

Мэтр Арчибальд Пенферник, нотариус...
Регистрация права собственности – это здесь?

Что значит – небольшая проблема? А как же мои комиссионные? Мои деньги??

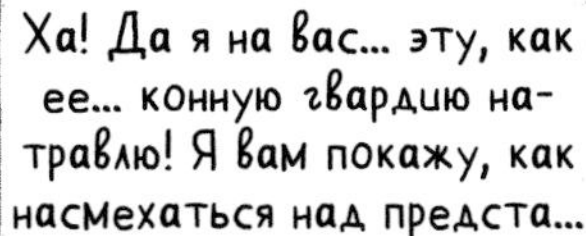
Ха! Да я на вас... эту, как ее... конную гвардию натравлю! Я вам покажу, как насмехаться над предста...

Дррзииии
ВРУУМ!
Врум?

МОЕ АВТО!
Хе-хе
Пуф
Пуф Пуф
КРРРАК

БИП!

Мое авто!
(пуф пуф)
крак!
крак!
Хватайте его! (пуф)
Ох!.. Опять он за свое!!
Ай-яй-яй...

бип бип бип бип бип бип бип бип бип бип бип бип бип бип бип бип бип бип бип
бип бип бип бип бип бип бип бип бип бип бип бип бип
Бип
Бип
Бип
Бип
?!!
Кла
Дадазыыннннь
КРРР
ШВАРК!
чух чух чух чух чух чух чух чух
...титул! Я его потерял!
119

Бип!
НЕЕЕТ!

пуф
пуф
Сделка аннулирована, любезный, пресс-папье и гвоздь железный! Ступайте домой...
...пешком, разумеется!

Да, они действительно победили. Впереди ждала большая уборка...

Эпилог

Разумеется, такую победу следовало отметить! Как радушный хозяин, Жаба настежь открыл для друзей винный погреб – точнее то, что от него осталось. Чуть позже, когда все ушли спать, он еще долго красовался перед большим зеркалом, во всех деталях изображая, как он в одиночку спас титул, поместье и весь мир в придачу.
ШЛЕП
Мммм...
ШЛЕП ШЛЕП ШЛЕП
СТУК
СТУК
Ммффф...
ШЛЕП ШЛЕП
КЛАНЦ
О не-е-ет!.. О-о-ох.... Моя голова...
11:47! Какой негодяй вызвал команду грузчиков в такую рань?!!
Доброе утро, мистер Тоуд! Простите, что припозднились!.. Знаю, вчера вы просили прийти пораньше, но мы обещаем взяться за уборку с удвоенной силой! Не сомневайтесь, все будет в ажуре...
?
Доброе утро, сэр!
Хороший денек!
Выспались, сэр?
Грмблл
Вы уже встали, сэр?
Тоуд, который, как всегда, спустился к завтраку в позорно поздний час, обнаружил на столе некоторое количество яичных скорлупок, кусочки остывших, похожих на резину тостов, кофейник, на три четверти пустой, и больше почти ничего. Это плохо подействовало на его настроение, тем более что это был, как ни крути, его дом.

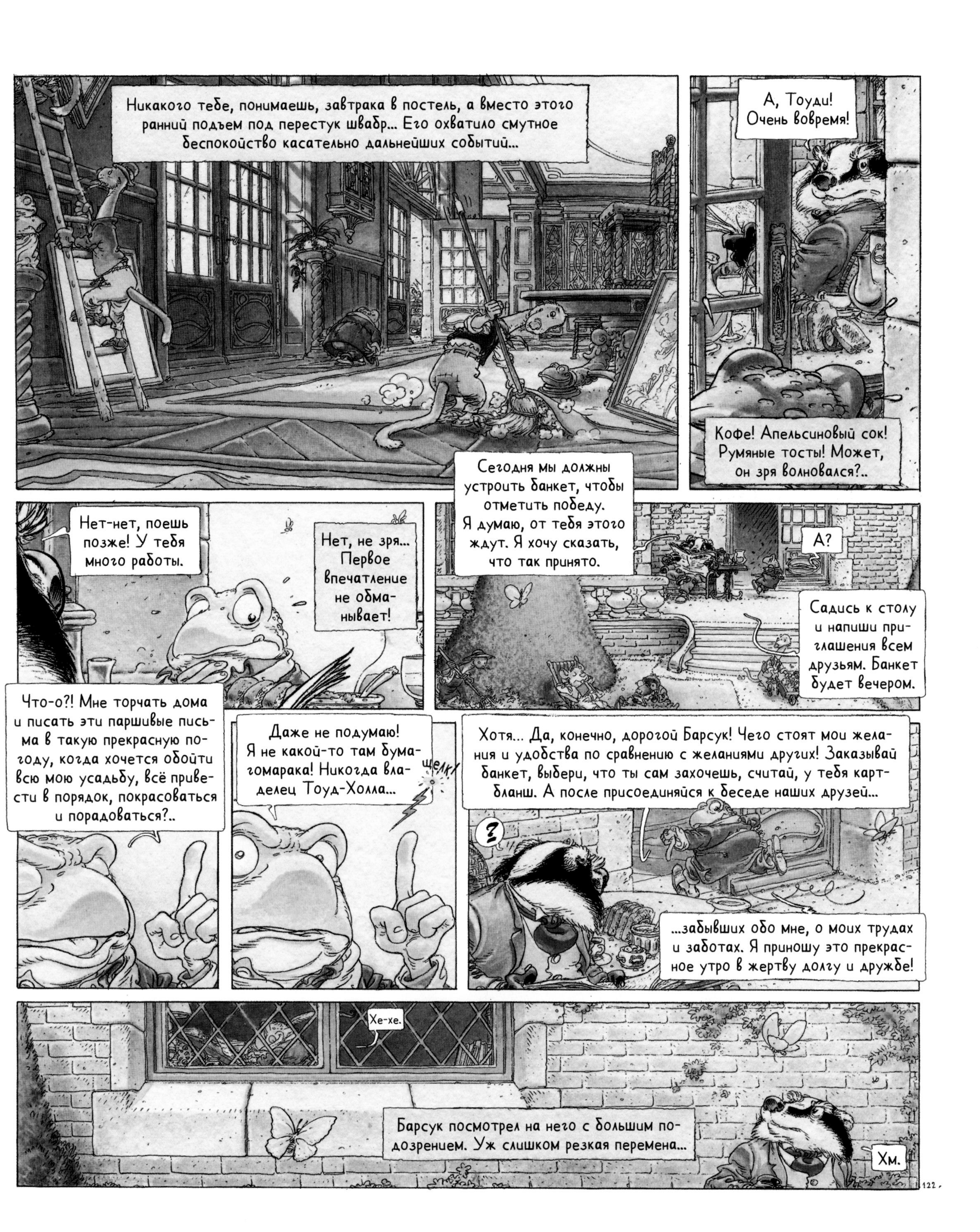
Никакого тебе, понимаешь, завтрака в постель, а вместо этого ранний подъем под перестук швабр... Его охватило смутное беспокойство касательно дальнейших событий...
А, Тоуди! Очень вовремя!
Кофе! Апельсиновый сок! Румяные тосты! Может, он зря волновался?..
Нет-нет, поешь позже! У тебя много работы.
Нет, не зря... Первое впечатление не обманывает!
Сегодня мы должны устроить банкет, чтобы отметить победу. Я думаю, от тебя этого ждут. Я хочу сказать, что так принято.
А?
Садись к столу и напиши приглашения всем друзьям. Банкет будет вечером.
Что-о?! Мне торчать дома и писать эти паршивые письма в такую прекрасную погоду, когда хочется обойти всю мою усадьбу, всё привести в порядок, покрасоваться и порадоваться?..
Даже не подумаю! Я не какой-то там бумагомарака! Никогда владелец Тоуд-Холла...
ЩЕЛК!
Хотя... Да, конечно, дорогой Барсук! Чего стоят мои желания и удобства по сравнению с желаниями других! Заказывай банкет, выбери, что ты сам захочешь, считай, у тебя карт-бланш. А после присоединяйся к беседе наших друзей...
?
...забывших обо мне, о моих трудах и заботах. Я приношу это прекрасное утро в жертву долгу и дружбе!
Хе-хе.
Барсук посмотрел на него с большим подозрением. Уж слишком резкая перемена...
Хм.

Ну вот... Готово!
ТУК ТУК ТУ
Блестящая мысль!
Простите, сэр, я тут подумал, не захотите ли вы пропустить стаканчик портвейна перед обедом...
А раз уж вы здесь, прошу, окажите мне небольшую услугу... Вот, нужно разнести несколько приглашений...
К обеду Тоуд спустился почти вовремя: остальные едва успели усесться за стол. Он был весел и до крайности доволен собой.
Друзья, приятного аппетита!
Ик!
Я поднимаю этот бокал за грядущий праздник!
«Друг мой...
...тебе посчастливилось оказаться в числе приглашенных на грандиозный банкет, который состоится сегодня вечером благодаря щедрости и великодушию мистера Тоуда. В программе банкета предусмотрены следующие увеселения: вступительное слово мистера Тоуда. (Речи и обращения продолжатся в течение всего вечера.) Краткое содержание: наша тюремная система; водные пути старой Англии; торговля лошадьми и как следует ею заниматься; собственность: права и обязанности; особенности вождения автомобиля и роль машин в охране здоровья и собственности...
Пфу!
Песенный цикл (собственного сочинения) исполняет мистер Тоуд под аккомпанемент автора.

Приветствие в адрес хозяина поместья исполняет мистер Тоуд.

Заключительная речь мистера Тоуда».
Г... где вы это взяли? Я ж отдал все приглашения...
...Ласке. Я знаю. К счастью, мне удалось перехватить его, когда он только отправился их разносить. Я еще утром почуял неладное, потому и решил поглядеть на эти твои «приглашения». Пришлось конфисковать все. А то песни ему, видишь ли, подавай, круассан и каравай!
В итоге бедный Крот сидит сейчас в синей спальне и заполняет нормальные пригласительные билеты.
Что, ни одной малюсенькой песен...
НЕЕЕТ
...Ладно.
Боже, как безжалостен этот мир...

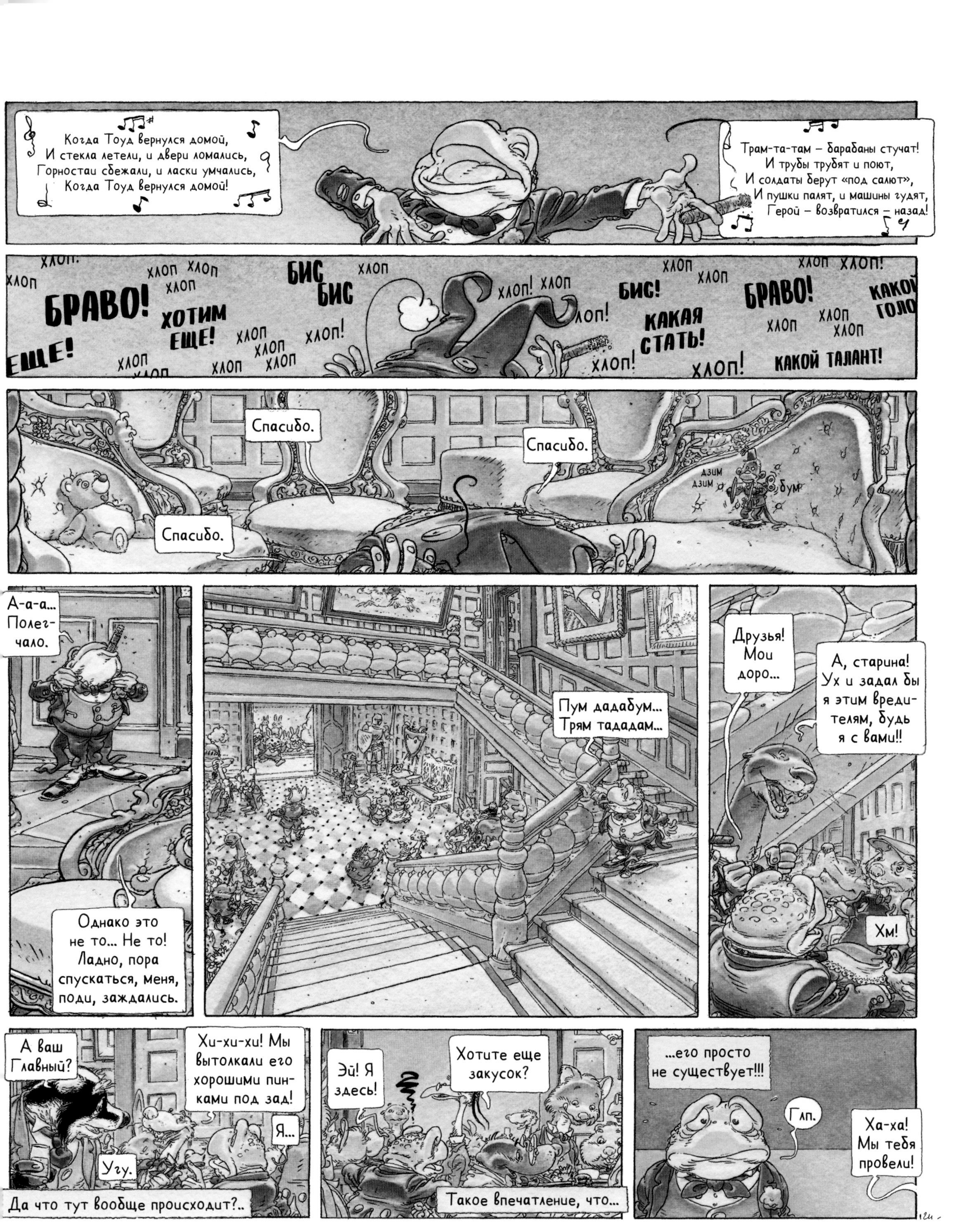

Когда Тоуд вернулся домой,
И стекла летели, и двери ломались,
Горностаи сбежали, и ласки умчались,
Когда Тоуд вернулся домой!
Трам-та-там – барабаны стучат!
И трубы трубят и поют,
И солдаты берут «под салют»,
И пушки палят, и машины гудят,
Герой – возвратился – назад!
ХЛОП ХЛОП ХЛОП
БРАВО!
ХОТИМ ЕЩЕ!
ЕЩЕ!
БИС БИС
ХЛОП!
БИС!
КАКАЯ СТАТЬ!
БРАВО!
КАКОЙ ТАЛАНТ!
Спасибо.
Спасибо.
Спасибо.
ДЗИМ ДЗИМ
БУМ
А-а-а... Полег-чало.
Однако это не то... Не то! Ладно, пора спускаться, меня, поди, заждались.
Пум дадабум... Трям тададам...
Друзья! Мои доро...
А, старина! Ух и задал бы я этим вредителям, будь я с вами!!
Хм!
А ваш Главный?
Хи-хи-хи! Мы вытолкали его хорошими пинками под зад!
Я...
Угу.
Да что тут вообще происходит?..
Эй! Я здесь!
Хотите еще закусок?
Такое впечатление, что...
...его просто не существует!!!
Глп.
Ха-ха! Мы тебя провели!

ГИП ГИП ГИП УРРРАА! ДА ЗДРАВСТВУЕТ ТОУД! ДААА!
Вот он, триумф! Никогда еще он не был так популярен.
«Популярный аристократ»? Хм. Сей парадокс его позабавил... И подсказал тему следующей конференции!
РЕЧЬ! РЕЧЬ!
Давай-давай, одну можно. Остальные в корзину.
Что ж, это кстати, он как раз одну-то и подготовил.
На всякий...
РЕЧЬ!
Хе-хе.
РЕЧЬ!
РЕЧЬ!
Где...
Гром и молния! Речь! Он забыл ее на туалетном столике!
РЕЧЬ!
Э-э-э...
Спасибо, друзья, мне правда очень приятно. Но я, видите ли, обещал...
И потом... я был не совсем один...
ХЛОП
Какая скромность!
Какая сдержанность!
Его что, подменили?
Вот так вовремя проявленная скромность может привлечь всеобщее внимание...
Да!
ОН СТАЛ ДРУГИМ!
Ур-ра!
Да, похоже, Жаба и впрямь стал другим...
Он даже снизошел до того, чтобы возместить ущерб своим жертвам и отблагодарить помогавших...
?
Жирной гусыне! Тоуд
Тетка с баржи тоже была разыскана, хотя Тоуд этому страшно сопротивлялся, заявив, что он был посланцем судьбы, призванным наказывать жирных гусынь, которые не способны с первого взгляда узнать настоящего джентльмена.

Конец

Мишель Плесси *по роману Кеннета Грэма*

При дружеском участии Лоика Жуанниго в эпизодах с дневниками Крота.

Март 1995-го — июль 2001 года

Эссуэйра, Тинос, Этабль-сюр-Мер, Ля-Тиоле, Ренн

УДК 82-9:159.99
ББК 84(4)6-80:88.53
П 38

Издание для досуга
Для среднего школьного возраста
Серия «МИФ. Комиксы»

Мишель Плесси

Ветер в ивах

Графический роман

Адаптация Михаила Хачатурова
на основе перевода Ирины Токмаковой одноименной повести Кеннета Грэма

Издано с разрешения Ms. Anastasia Lester,
SAS LESTER LITERARY AGENCY & ASSOCIATES

Руководитель редакционной группы *Анна Сиваева*
Ответственный редактор *Мария Соболева*
Арт-директор *ЕлизаВета КрасноВа*
Верстка и леттеринг *Виктория Сидоренко*
Дизайн обложки *ЕлизаВета КрасноВа*
Корректоры *Надежда Власенко, Дарья Балтрушайтис,*
Марина Нагришко

Подписано в печать 23.09.2021.
Формат 60×90 1/8.
Гарнитуры VeryBerry Pro, ShapeID_font, Better Together.
Усл. печ. л. 16. Тираж 3000 экз.
Заказ № 6567/21

6+

ООО «Манн, Иванов и Фербер»
123104, Россия, г. Москва, Б. Козихинский пер., д. 7, стр. 2
mann-ivanov-ferber.ru
vk.com/mifcomics
instagram.com/mifcomics
t.me/mifcomics

Отпечатано в ООО «ИПК Парето-Принт»
170546, Россия, Тверская область,
промышленная зона Боровлево-1, комплекс No 3А
pareto-print.ru

ISBN 978-5-00169-579-0